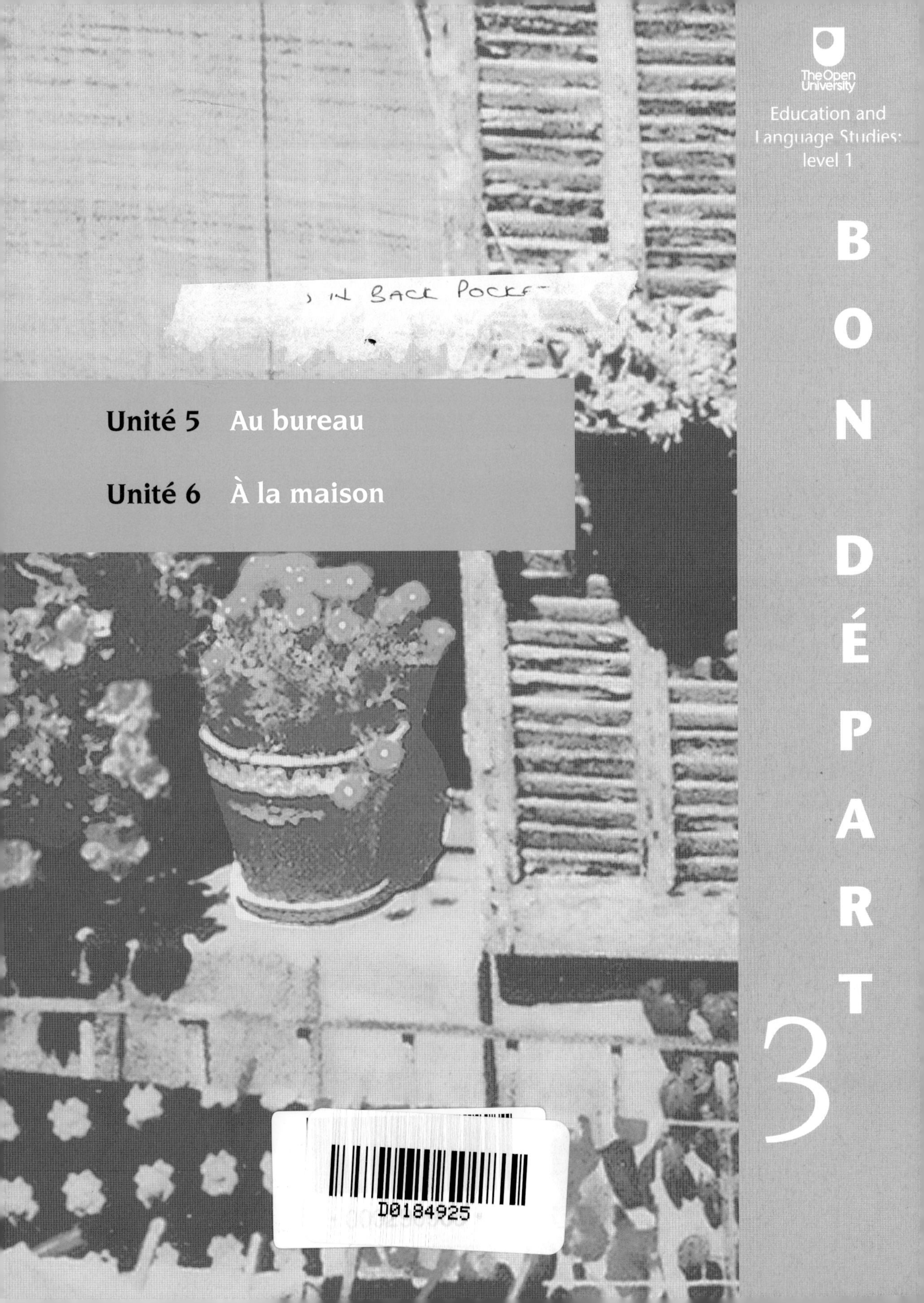
The Open University
Education and Language Studies: level 1
BON DÉPART
3
Unité 5 Au bureau
Unité 6 À la maison
D0184925

This publication forms part of the Open University course L192/LZX192 *Bon départ: beginners' French*. Details of this and other Open University courses can be obtained from the Course Information and Advice Centre, PO Box 724, The Open University, Milton Keynes MK7 6ZS, United Kingdom: tel. +44 (0)1908 653231, e-mail general-enquiries@open.ac.uk

Alternatively, you may visit the Open University website at http://www.open.ac.uk where you can learn more about the wide range of courses and packs offered at all levels by The Open University.

To purchase a selection of Open University course materials visit the webshop at www.ouw.co.uk, or contact Open University Worldwide, Michael Young Building, Walton Hall, Milton Keynes MK7 6AA, United Kingdom for a brochure, tel. +44 (0)1908 858785; fax +44 (0)1908 858787; e-mail ouwenq@open.ac.uk

The Open University
Walton Hall, Milton Keynes
MK7 6AA

First published 2004. Reprinted with corrections 2005.

Edited, designed and typeset by The Open University.

Printed by Alden HenDi, Oxfordshire.

ISBN 0 7492 6526 4

1.2

Contents

L192 course team

Open University team

Ghislaine Adams (course manager)

Liz Benali (course manager)

Graham Bishop (author)

Viv Bjorck (course team secretary)

Ann Breeds (course team secretary)

Michael Britton (editor)

Neil Broadbent (course team chair and author)

Dorothy Calderwood (editor)

Valérie Demouy (author)

Annie Eardley (author)

Xavière Hassan (author)

Elaine Haviland (editor)

Stella Hurd (course team chair and author)

Marie-Noëlle Lamy (author)

Tim Lewis (author)

Susan Lowe (editor)

Hélène Mulphin (course team chair (planning stage) and author)

Linda Murphy (critical reader)

Liz Rabone (lead editor)

Lesley Shield (author)

Pete Smith (author)

Production team

Ann Carter (print buying controller)

Jane Docwra (production administrator)

Gary Elliott (production administrator)

Pam Higgins (designer)

Tara Marshall (print buying co-ordinator)

Theresa Nolan (production assistant)

Jon Owen (graphic artist)

Deana Plummer (picture researcher)

Natalia Wilson (production administrator)

Consultant authors

Kate Harvey-Jones

Marie-Claude Jourzac

Mary Culpan

Christine Brunton

Béatrice Le Bihan

Claire Ellender

Christine Arthur

Sophie Timsit

Anna Vetter

BBC production team

Kate Goodson (producer)

Dan King (editor)

Marion O'Meara (production assistant)

External assessor

Elspeth Broady (principal lecturer, School of Languages, University of Brighton)

Special thanks

The course team would like to thank everyone who contributed to *Bon départ*. Special thanks go to Philippe Smolikowski, Framboise Gommendy, Christine Sadler and Bernard Haezewindt who took part in the audio recordings.

Au bureau

The fifth unit of B*on départ* revolves around the working environment. It gives you chance to observe people working in a group of estate agencies. You will hear French people talk about their jobs, their daily routine at work and their patterns of leave, and will have many opportunities yourself to practise basic language appropriate to the workplace – learning for instance how to fix appointments, organize

VUE D'ENSEMBLE

Session	Key Learning Points
1	• Saying where you work and talking about your responsibilities • Using *dans*, *à* and *chez* with places of work
2	• Understanding and giving information about working hours • Saying when you arrive and leave
3	• Understanding and giving information about patterns of annual leave and holiday plans • Using prepositions with time and seasons
4	• Arranging meetings, making appointments • Using *pouvoir* and *devoir* • Dealing with phone numbers
5	• Practising what you have learned so far
6	• Discussing a schedule • Using *en* in set phrases • Using the definite article with days and times for regular activities
7	• Requesting travel information • Using verbs ending in *-endre*
8	• Looking at hotel facilities • Discussing a completed business trip • Reporting on a day's work • Using the *passé composé* to talk about past events
9	• Talking about working patterns and conditions • Talking about methods of communication
10	• Practising what you have learned so far

Cultural information	Language learning tips
Les sigles	
	Remembering verb forms
Les jours fériés *Culture mél*	
Les numéros de téléphone	
	Exploiting course material further
Jours et heures d'ouverture	
Les trente-cinq heures	Listening to authentic French

Session 1

For some time now Christine has been thinking of looking for work in Avignon. Her friend Élisabeth, who is a senior manager in a group of estate agencies, has invited her to visit her branch to observe people's work.

Key Learning Points

- Saying where you work and talking about your responsibilities
- Using *dans*, *à* and *chez* with places of work

Activité 1

1 Read the advertisement and then in the table opposite match the French expressions with their English equivalents.

Trouvez les expressions françaises correspondant à l'anglais.

AGENCE DES PROVINCES
AGENCE IMMOBILIÈRE
Bienvenue chez nous,
Bienvenue chez vous!
Achats – Ventes
Locations
Locations vacances
Estimations
11 agences à votre service
7 rue du pont Saint-Bénezet, Avignon
Visitez notre site:
www.agencedesprovinces.fr

(a) estate agency	(i) bienvenue
(b) welcome	(ii) locations vacances
(c) purchases – sales	(iii) agence immobilière
(d) holiday lets	(iv) achats – ventes

2 Write one sentence in English explaining the meaning of '*Bienvenue chez nous, bienvenue chez vous!*'

Expliquez la phrase.

Activité 2 Extrait 1

en tant que
as (a)

cadre (m.)
manager

1 You and Christine have arrived at the estate agency. Listen to Extract 1. How many people greet you?

Écoutez l'extrait 1.

2 (a) Listen again. Complete the sentences as you hear the information, using an expression from the box below.

Complétez les phrases.

(i) Élisabeth est __________ .

(ii) Elle est __________ .

(iii) Yannick est __________ .

(iv) Il organise __________ .

(v) Il est __________ .

> chargé de l'accueil des clients • chargée de la formation du personnel • les rendez-vous • responsable du service des locations • cadre • responsable du bureau et de l'administration

(b) Using your dictionary, work out the meaning of the following words.

Trouvez le sens des mots.

(i) l'accueil des clients

(ii) la formation du personnel

3 If you had Laurent Salvétat's job, how would you introduce yourself? Answer this question orally.

Parlez à la place de Laurent Salvétat.

4 (a) Explain the different spellings of *chargé(e)*.

Expliquez en anglais.

(b) Which word follows *chargé(e)* and *responsable*, and what do you notice about it?

Regardez les expressions.

5 Christine has forgotten what Yannick said. Tell her as much as you can remember about him.

Parlez de Yannick.

Activité 3 Extrait 2

alimentation (f.) *food*

un fabricant *manufacturer*

1 In Extract 2 you hear people talking about their jobs. Christine asked them where they work. Which other question do you think she may have asked them?

Écoutez et répondez à la question.

2 Complete the following sentences using the terms and vocabulary you heard.

Complétez les phrases.

(a) Brigitte __________ comptabilité générale.

(b) Christophe __________ section alimentation.

(c) Simone __________ promotion des produits.

3 Listen again and match the expressions in column B below to the jobs in column A, according to what the speakers say.

Associez les expressions de la colonne B à celles de la colonne A.

A	B
(a) secrétaire	(i) chez un fabricant de chaussures
(b) comptable	(ii) à la SNCF
(c) technicien transport	(iii) dans un supermarché
(d) responsable régionale des ventes	(iv) chez un avocat
(e) vendeur	(v) dans une usine
(f) ingénieur commercial	(vi) chez Dupont et Fils

G 1 Saying where you work and talking about your responsibilities

Dans + un/une is used to give information on the kind of physical workplace where you work:

Je suis vendeur ***dans un*** *supermarché.*
I am a sales assistant in/at a supermarket.

Je travaille ***dans une*** *usine.*
I work in a factory.

Je travaille ***dans une*** *agence immobilière.*
I work in/at an estate agency.

À + le/la/l'/les is used with a named organization or a specific workplace:

Nous travaillons ***à la*** *SNCF.*
We work for the SNCF.

*Il travaille **à** l'agence des Provinces.*
He works at the Agence des Provinces.

Chez is used with a personal name or a trade/profession to say where you work:

*Je suis comptable **chez** Dupont et Fils.*
I am an accountant with/at Dupont et Fils.

*Ils travaillent **chez** un fabricant de chaussures.*
They work for a shoe manufacturer.

To express responsibilities, you can say:

*Simone **est chargée de la** promotion des produits.*
Simone is in charge of marketing.

*Laurent **est chargé du** service des locations.*
Laurent is in charge of lettings.

*Yannick **est responsable de l'**accueil des clients.*
Yannick is responsible for customer liaison.

Note that *responsable* can be used as a **noun**:

*Où est **le/la responsable**?*
Where is the person in charge?

*Il est **responsable régional des ventes**.*
He is a regional sales manager.

Activité 4

Christine has made a list of the workplaces of a few customers she has spoken to at the agency. Using the appropriate preposition, complete the following sentences.

Complétez les phrases.

Jeanne - mairie de Nîmes
Paul et Valérie - hôtel
Mme Trenet - médecin
M. Dubois - usine
Virginie + Thérèse - cinéma Rex
Samuel - fabricant de moteurs

1 Jeanne travaille __________ .
2 Paul et Valérie __________ .
3 Madame Trenet __________ .
4 Monsieur Dubois __________ .
5 Virginie et Thérèse __________ .
6 Samuel __________ .

Activité 5 Extrait 3

You have already met the *sigle* (acronym) 'SNCF'. Now listen to Extract 3 and write down the letters you hear.

Notez les sigles.

1 la ________

2 la ________

3 l'________

4 les ________

5 ________

6 la ________

7 ________

LES SIGLES

The following acronyms (*sigles*) are frequently heard, but not everyone knows what the letters stand for!

*la RATP (**R**égie **a**utonome des **t**ransports **p**arisiens)* Paris bus and tube network

*la CGT (**C**onfédération **g**énérale du **t**ravail)* large trade union

*l'ANPE (**A**gence **n**ationale **p**our l'**e**mploi)* job centre

*les P&T (**P**ostes et **T**élécommunications)* French post office

*la BNP (**B**anque **N**ationale de **P**aris)* bank

The initial letters of small, joining words are usually omitted, but not always:

*GDF (**G**az **d**e **F**rance)* French gas company

Some longer acronyms are pronounced as words:

*CEDEX [sedɛks] **C**ourrier d'**e**ntreprise à **d**istribution **ex**ceptionnelle)* postal service for a large company (and features in its address)

Activité 6

1 Look again at your answer for Activity 5. Find the acronym for the following institutions.

Trouvez le sigle.

(a) large bank

(b) gas company

(c) job centre

(d) post office

2 Using the appropriate acronym, say that you work for each of these.

Faites des phrases avec les sigles.

Activité 7

Christine has written notes about three more people and their jobs. Write a sentence in French for each one, explaining what they do.

Écrivez trois phrases.

Colette réservations – gare Saint-Lazare

Marc service après-vente – fabricant de chapeaux

Monique administration des dossiers clients – P+T

service (m.) après-vente *after-sales service/ department*

Session 2

You and Christine spend time with Laurent and colleagues in the lettings department of Élisabeth's estate agency.

Key Learning Points

- Understanding and giving information about working hours
- Saying when you arrive and leave

Activité 8

1 Read the briefing document that Élisabeth has devised for work-placement students and answer the questions.

Lisez le texte et répondez aux questions.

doivent
must

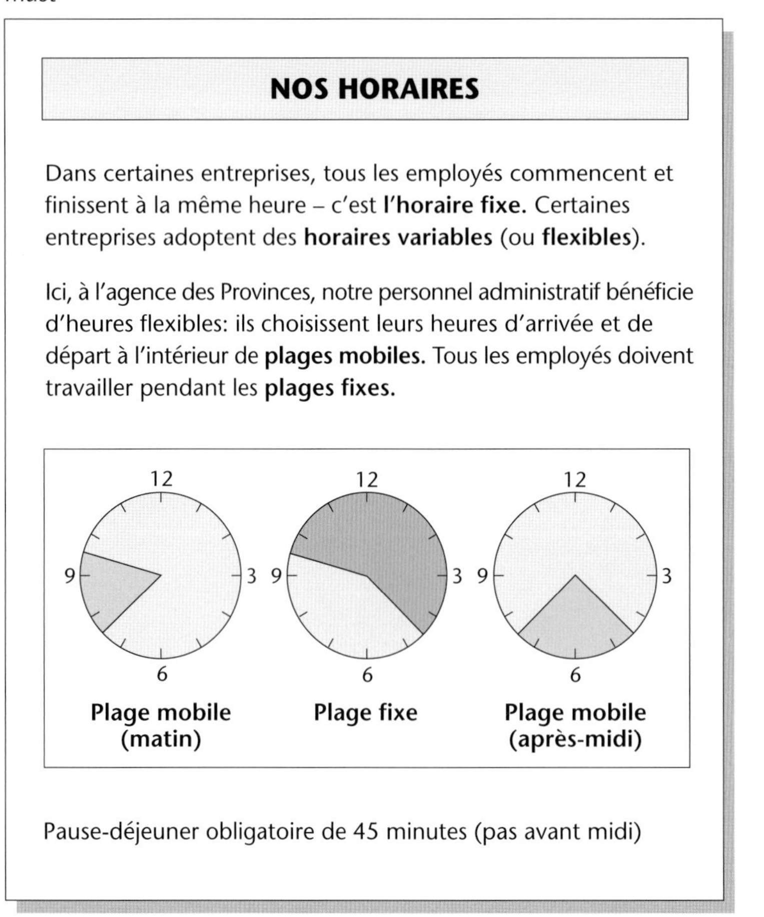

NOS HORAIRES

Dans certaines entreprises, tous les employés commencent et finissent à la même heure – c'est **l'horaire fixe.** Certaines entreprises adoptent des **horaires variables** (ou **flexibles**).

Ici, à l'agence des Provinces, notre personnel administratif bénéficie d'heures flexibles: ils choisissent leurs heures d'arrivée et de départ à l'intérieur de **plages mobiles.** Tous les employés doivent travailler pendant les **plages fixes.**

Pause-déjeuner obligatoire de 45 minutes (pas avant midi)

(a) What is the difference between the *horaire fixe* and the *horaire variable*?

(b) Do all the staff at Élisabeth's estate agents work according to the *horaire variable*?

(c) Who has to work during the *plages fixes*?

2 Christine has interviewed various people in the branch who work the *horaire variable*. Which of these statements could not have been made by staff from here?

Identifiez les affirmations fausses.

(a) Je peux commencer à 8 h 30 et finir à 16 h 30.

(b) Je ne peux pas arriver à 10 heures.

(c) Je commence à 8 heures, donc je peux finir à 16 heures.

(d) On ne peut pas finir à 15 heures.

(e) J'arrive à 9 h 15 et je finis à 17 h 15.

(f) On peut travailler de 9 h 45 à 17 h 45.

(g) Je peux prendre ma pause-déjeuner à 11 h 30.

3 Say aloud each of the times shown in step 2, using the 24-hour clock.

Dites les heures à haute voix.

Activité 9  Extrait 4

1 Christine interviewed some members of staff from the lettings department. Listen to Extract 4 and answer the questions.

Répondez aux questions.

(a) Who leaves home the earliest in the morning?

(b) Who gets home the latest in the evening?

(c) Who finishes work the earliest?

(d) Who finishes work the latest?

2 Listen again. Enter the times you hear in the table below, using the 24-hour clock.

Remplissez le tableau.

	part de la maison à...	commence à/arrive à...	finit à/part du bureau à...	rentre à la maison à...
Laurent				
Jean-Yves				
Sylvie				

3 Look at the transcript for Extract 4. What do you notice about expressions of place when they follow *partir*?

Observez le verbe 'partir'.

G 2 Saying when you arrive and leave

To talk about when you arrive and leave you can use the verbs ***arriver***, ***partir*** and ***rentrer***, followed by an appropriate preposition when necessary.

> *J'**arrive à** l'agence à 8 h 30.*
> I arrive at the agency at 8.30.
>
> *Il **part** toujours **de** l'agence à 8 heures.*
> He always leaves the agency at 8.00.
>
> *Nous ne **partons** pas **du** bureau avant 18 heures.*
> We don't leave/are not leaving the office before 6 pm.
>
> *Je **rentre à** la maison à 18 heures.*
> I get (back) home at 6 pm.

As you saw in G1, ***chez*** is used with the name of a company. *Chez* is also used with names of people, or with pronouns such as *moi, toi* or *vous* meaning 'at my house', 'at your house' etc. (You saw an example of this in Activity 1.)

> J'**arrive chez** Dimitri à 6 h 30.
>
> Vous **partez de chez** vous à quelle heure?
>
> Je **rentre chez** moi vers 8 heures.

partir
je par**s**
tu par**s**
il/elle/on par**t**
nous part**ons**
vous part**ez**
ils/elles part**ent**

REMEMBERING VERB FORMS

In Unit 2 (Session 1), we suggested you try memorizing verbs in the context of a sentence in which they are used. Making lists of verbs that follow the same pattern as each other will also help you to remember their forms better. Throughout the course, we have given you some patterns, such as *chercher* in Unit 3 (Session 3) and *partir* above. Use these as models to learn the forms by heart, and whenever you come across a new verb that follows the same pattern, make a note of it, for example as follows:

Chercher	Partir
je cherche	je pars
tu cherches	tu pars
il/elle/on cherche	il/elle/on part
nous cherchons	nous partons
vous cherchez	vous partez
ils/elles cherchent	ils/elles partent
+ rentrer – arriver – aimer – trouver – détester – regarder (etc.)	+ sortir – dormir (etc.)

Activité 10

1 Taking one item from each column in the table below, write as many grammatically correct sentences as possible in ten minutes.
Écrivez des phrases en utilisant les mots ci-dessous.

Tu	partez de chez vous	à	*[any suitable time using the 12-hour clock]*
Sylvie	finissent	vers	
Je	arrive au travail	avant	
Mes enfants	part de la maison		
Nous	finis		
Beaucoup de collègues	partent avec moi		
Vous	rentrons chez nous		
J'	mange à la cantine		

2 Talk about the working day of three people you know and say aloud what time they leave home, finish work and get back home.
Parlez des heures de travail.

Activité 11 Extrait 5

gentil
kind

Ça te convient?
Is that ok for you?/Does that suit you?

1 Christine receives an internal phone call. Listen to Extract 5 and answer the questions below in English.
Répondez aux questions.

(a) What is the purpose of Élisabeth's call to Christine?

(b) Does Christine accept the invitation?

(c) What is Christine doing in the afternoon?

(d) What time is she finishing?

(e) What time will Élisabeth be leaving the agency?

2 Listen again. Complete the sentences with the expressions you hear.
Complétez les phrases avec les expressions qui manquent.

(a) __________ venir avec nous?

(b) Oui, je __________ bien, Élisabeth. __________ gentil.

(c) Nous finissons vers six heures et demie, sept heures moins le quart, __________ .

(d) Nous on part de l'agence à sept heures et demie. __________ ?

(e) __________ . Merci, Élisabeth.

Activité 12 Extrait 6

1 Now Élisabeth telephones you. Listen to Extract 6. Speak in the pauses, following the prompts in English.

Écoutez l'extrait 6. Parlez dans les pauses.

2 Look back at the transcript for Extract 5. Because they are friends, Christine and Élisabeth call each other *tu*. Why, then, does Christine say *vous* in two of her questions?

Répondez à la question.

Activité 13

You work your ideal *horaire variable*! Write a few sentences in French explaining when you leave and return home, your working hours and your lunch break.

Décrivez votre horaire variable idéal.

Session 3

Staff in the lettings department are trying to organize meetings around bank holiday weekends and are planning their annual leave.

Key Learning Points

- Understanding and giving information about patterns of annual leave and holiday plans
- Using prepositions with time and seasons

Activité 14 Extrait 7

(un jour) férié
a bank holiday

1 You have observed a departmental meeting which Laurent is about to close. Listen to Extract 7. What is the purpose of the conversation and what outcome is reached?

Écoutez l'extrait 7 et répondez à la question.

2 Listen again. Complete the following sentences with the correct information from the boxes.

Complétez les phrases suivantes avec les informations correctes.

(a) Le jeudi ________ c'est férié.

4 mai • 24 mai • 14 mai

(b) Je ne ________ pas le 25. Je ________ le pont.

rentre • fais • travaille • traverse • pars

(c) Nous partons en ________ du ________ au ________ .

Bretagne • Alsace • Suisse • lundi • jeudi • vendredi • dimanche

Activité 15

Read this advertisement, which Nicole has found, and answer the questions.
Répondez aux questions.

AGENCE EUROPA VOYAGE
3 PONTS – 3 FORFAITS EXCEPTIONNELS
Hôtels 3*, excursions
Pont du 1er Mai
du samedi 29 avril au mardi 1er mai
ALSACE: Traditions et Gastronomie
Pont du 8 Mai
du samedi 5 au mardi 8 mai
SUISSE: Lacs et Montagnes
L'Ascension
du jeudi 24 au dimanche 27 mai
BRETAGNE: Mer et Musique
L 7 14 21 28
M 1 8 15 22 29
M 2 9 16 23 30
J 3 10 17 24 31
V 4 11 18 25 32
S 5 12 19 26 33
D 6 13 20 27 34
Tarifs, réservations www.europavoyage.com

1 How many days separate each bank holiday from the nearest weekend?

2 Find the French for:

(a) long bank holiday weekends;

(b) exceptional package deals.

3 In Extract 7, we learn that Nicole *fait le pont*. How many days will she be away from the office?

LES JOURS FÉRIÉS

The French have various *jours fériés* (bank holidays) during the year. Some are historical celebrations such as *le 14 juillet* (known as *jour de la prise de la Bastille*), *le 11 novembre* (*Armistice de la première guerre mondiale*) and *le 8 mai* (*jour de la Victoire, deuxième guerre mondiale*). Being a Catholic country, a large number of France's bank holidays are religious celebrations: for instance, as well as the Easter and Christmas bank holidays, *le 15 août* celebrates the Virgin Mary, and in May and June both *le lundi de Pentecôte* and *le jeudi de l'Ascension* are bank holidays (their dates varying each year depending on when *le lundi de Pâques* occurs). Other holidays include *la fête du Travail* (*le 1er mai*).

Most bank holidays in France can fall on any day of the week. When one occurs on a Thursday or Tuesday the French will often *faire le pont*, taking take the intervening Friday or Monday off literally to 'bridge' the bank holiday and weekend. Frequently businesses will close to facilitate this. When a holiday falls at a weekend, though, employees get no day off work.

Activité 16

Take the role of Nicole in the further discussions to arrange the next departmental meeting. You are going on the trip to Switzerland advertised in Activity 15, so using phrases from step 2 in Activity 14 explain why the meeting cannot be on 7 or 8 May. Answer this question orally.

Parlez à la place de Nicole.

Activité 17 Extrait 8

1 Look at the two exchanges below. What do you think the words shown in bold mean?

Que veulent dire les mots en gras?

- Vous prenez **des congés** en **été**?
- Non, je ne peux pas normalement. Je travaille dans un grand restaurant et nous avons beaucoup de monde en juillet et en août.

- Vous prenez **des vacances** en **hiver**?
- Oui. Nous allons une semaine à Chamonix en décembre pour faire du ski.

ça m'est égal
I don't mind

2 Listen to Extract 8 and tick the table according to the general preferences of the three people interviewed.

Cochez les bonnes réponses.

	Jean-Yves	Nicole	Sylvie
été			
automne			
hiver			
printemps			

3 In January Yannick prepared this spreadsheet to give Élisabeth an overview of staff leave plans. Listen again to Extract 8 and enter Jean-Yves', Nicole's and Sylvie's names against the correct columns in the spreadsheet.

Inscrivez les noms sur le planning.

LE PLANNING DES DÉPARTS EN CONGÉS

NOM:	(a)	(b)	(c)	(d)	(e)	(f)
janvier	10					5
février			5		2	
mars					3	
avril					3	
mai	1 + 1 (ponts du 1er et du 24)	10 + 1 (pont du 8 mai)	1 (pont du 1er mai)	5	1 + 1 + 1 (ponts du 1er, 8, 24)	
juin	4				3	20
juillet			1	20		
août	10		20			
septembre		10			3	
octobre					4	
novembre		5		1 (pont du 1er nov.)	4 + 1 (pont du 1er nov.)	4 + 1 (pont du 1er nov.)
décembre	(à confirmer)					

4 Look at the transcript for Extract 8 and underline:

(a) all the expressions containing *prendre* and *partir* that mean having/going on holiday or leave;

(b) the word used before the season each time one is given.

Soulignez les expressions.

G 3 Using prepositions with time and seasons

You already know that you can use ***de*** to express 'from' and ***à*** to express 'to' when talking about places you come from or are going to. You can also use them to talk about things happening between two dates or periods of time:

de *janvier* ***à*** *avril* from January to April/between January and April

du *30 juin* ***au*** *28 juillet* from 30 June to 28 July

du *lundi* ***au*** *jeudi* from (the) Monday to (the) Thursday

To give a month when saying when something happens, you can use ***en*** or ***au mois de (d')***:

en *février/****au mois de*** *février* in February

en *octobre/****au mois d'****octobre* in October

To give a season, you use ***en*** or ***au*** as follows:

en *hiver*

en *été*

en *automne*

but: ***au*** *printemps*

Activité 18

1 Laurent is now sending details of his leave to Christine. Fill the gaps in his e-mail (using one word per gap).

Complétez le texte suivant.

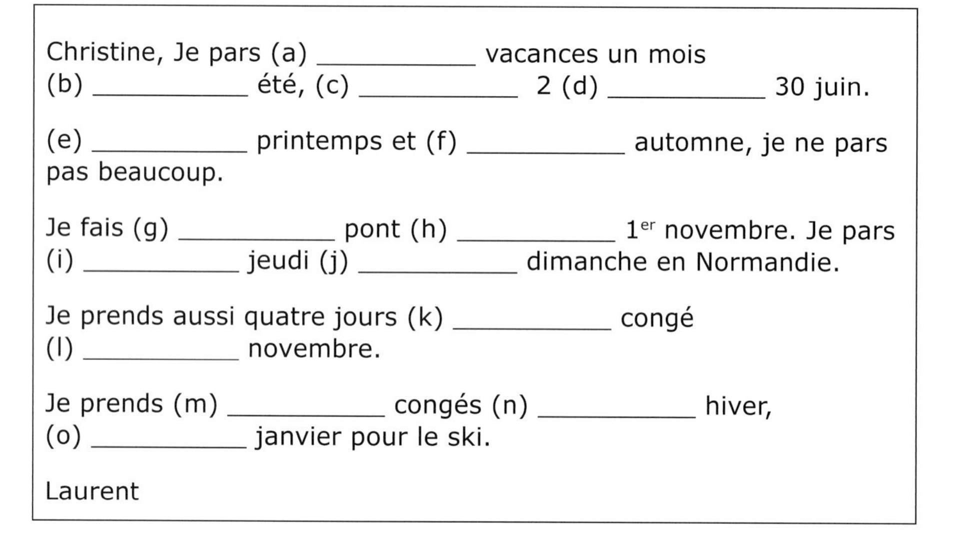
Christine, Je pars (a) __________ vacances un mois (b) __________ été, (c) __________ 2 (d) __________ 30 juin.

(e) __________ printemps et (f) __________ automne, je ne pars pas beaucoup.

Je fais (g) __________ pont (h) __________ 1er novembre. Je pars (i) __________ jeudi (j) __________ dimanche en Normandie.

Je prends aussi quatre jours (k) __________ congé (l) __________ novembre.

Je prends (m) __________ congés (n) __________ hiver, (o) __________ janvier pour le ski.

Laurent

2 Enter Laurent's name on the spreadsheet in Activity 17.

Inscrivez le nom de Laurent sur le planning.

CULTURE MÉL

The rise of e-mail both in the workplace and outside has brought about changes in communication styles in France, as elsewhere.

This unit contains various examples of how French colleagues use e-mail in the work environment. In other formal contexts, and between people who do not know each other, the long traditional closing formulae used in formal letter-writing tend to be replaced in e-mails with much more succinct phrases such as *Sincères salutations* ('Yours sincerely') or *Cordialement* ('Best wishes'). Between friends, highly informal conventions such as *Biz* (short for *Bises*, 'Love') and *A+* (*À plus tard*, 'See you later') have become commonplace in both e-mail and text messages.

Activité 19

1 The remaining information on the spreadsheet in Activity 17 is for Yannick (column [a]) and Élisabeth (column [b]). Using the information below and on the spreadsheet, write approximately fifty words for each of them, saying when they're taking their main leave and what they normally like to do.
Écrivez quelques phrases.

Yannick:

- hiver: ski à Chamonix
- juin: ses parents à Paris
- août: chez lui

Élisabeth:

- mai: Italie
- septembre: en France, visiter d'autres régions
- novembre: randonnée à cheval

2 Using step 1 as a model, talk about your usual main holidays. Do this orally.
Parlez de vos congés.

Activité 20

1 Read the following article and answer the questions overleaf.
Lisez le texte et répondez aux questions.

Réinventer les vacances

Les premiers congés payés en France datent de 1936. Évidemment depuis cette époque, les choses ont évolué. Les Français ont aujourd'hui une plus grande flexibilité, et il existe plusieurs formats pour les congés annuels.

Le format traditionnel n'est cependant pas mort: les Français aiment encore prendre leurs quatre semaines de vacances en été. De toutes les manières, beaucoup d'entreprises ferment au mois d'août.

Mais grâce à la réduction du temps de travail et aux heures flexibles, les Français peuvent aujourd'hui étaler leurs vacances, partir en longs week-ends et multiplier des séjours courts. Ce nouveau format risque de modifier beaucoup les rythmes de travail.

depuis
since

ont évolué
have changed/ evolved

cependant
nevertheless

mort
dead

grâce à
thanks to

étaler
to spread

(a) When was paid annual leave introduced in France?

(b) What is the traditional model in France for taking holidays?

(c) Why can many French people take more holiday nowadays?

(d) What is the modern trend concerning holidays today?

2 Look at the spreadsheet from Activity 17 and answer the questions.
Répondez aux questions.

Which staff appear to follow:

(a) the traditional model, and in what way?

(b) the modern trend, and in what way?

Session 4

Élisabeth is organizing a staff development event (*un stage de formation*). She telephones Dominique, who is going to be a guest speaker. She also has to contact others concerning some appointments.

Key Learning Points

- Arranging meetings, making appointments
- Using *pouvoir* and *devoir*
- Dealing with phone numbers

Activité 21 Extrait 9

Attendez
Wait (a moment)

1 Listen to Extract 9. Why is Élisabeth phoning, and is she successful?
Écoutez l'extrait 9 et répondez à la question.

2 Now listen again. Number the sentences below in the order you hear them in the extract.
Numérotez les phrases.

(a) Je suis désolée, mais jeudi je dois aller voir des clients.

(b) Vous pouvez venir jeudi?

(c) Nous devons prendre rendez-vous.

(d) Je regrette, mais je ne suis pas libre vendredi.

(e) Vous pouvez venir à quelle heure?

(f) Je peux venir vendredi.

(g) Vous êtes disponible mercredi?

3 (a) Match the English sentences below to their French equivalents from step 2.

Faites correspondre les phrases.

(i) We must make an appointment.

(ii) I can come on Friday.

(iii) Can you come on Thursday?

(iv) I'm sorry, but I'm not free on Friday.

(v) Are you free on Wednesday?

(vi) I'm sorry, but on Thursday I have to go and see some customers.

(vii) What time can you come?

(b) Which words in the sentences from step 2 come from the verbs *pouvoir* and *devoir*?

Trouvez les formes des verbes 'pouvoir' et 'devoir'.

(c) What do you notice about the word following the form of *pouvoir* and *devoir* in each case?

Répondez à la question.

G 4 Using 'pouvoir' and 'devoir' Extrait 10

You can use ***pouvoir*** to talk about things you can or can't do. *Pouvoir* is normally followed by another verb in the infinitive:

*Tu **peux venir** demain?*
Can you/Are you able to come tomorrow?

*Les employés ne **peuvent** pas **commencer** après 9 heures.*
The employees cannot start after 9.00.

pouvoir
je p**eux**
tu p**eux**
il/elle/on p**eut**
nous pouv**ons**
vous pouv**ez**
ils/elles p**euvent**

devoir
je d**ois**
tu d**ois**
il/elle/on d**oit**
nous dev**ons**
vous dev**ez**
ils/elles d**oivent**

Devoir followed by an infinitive is used to talk about things you have to do (or mustn't do):

*Ces employés ne **doivent** pas **finir** à 16 heures.*
These employees must not finish at 4 pm.

When not followed by an infinitive, *devoir* means 'to owe':

*Je vous **dois** combien?*
How much do I owe you?

These examples are recorded in Extract 10.

Activité 22

Find the missing forms of *pouvoir* and *devoir* and use them to complete the puzzle below.

Complétez les phrases et remplissez la grille.

1 Je __________ rentrer chez moi à 18 h 45.

2 Vous __________ faire le pont du 1er mai.

3 Jean-Yves __________ commencer son travail à 8 h 30.

4 Nous ne __________ pas partir en vacances au mois de décembre.

5 Tu __________ venir dîner dimanche?

6 Nous __________ prendre rendez-vous.

7 Elle __________ 20 € à Marie.

				1 D				
			2	O				
		3		I				
	4			V				
			5	E				
6				N				
	7			T				

Activité 23 Extrait 11

1 Listen to Extract 11 and speak in the pauses according to the prompts given.

Parlez dans les pauses suivant les indications.

Exemple

Vous entendez: Nous devons prendre rendez-vous aujourd'hui.

(demain)

Vous dites: Nous devons prendre rendez-vous **demain**.

Activité 24

1 Élisabeth has called a meeting of colleagues at short notice. Read these e-mails and reply to them as instructed in (a) and (b), taking the role of Élisabeth.

Répondez aux courriels.

E.Abadie

Auteur: D.Plantier@agencedesprovinces.fr
Date: 20 avril 16:10
Adresse: E.Abadie@agencedesprovinces.fr
Objet: Date de réunion

Élisabeth,

Merci de votre mail. Je regrette, mais mardi matin je dois rencontrer des clients. Nous pouvons changer la date de la réunion? Didier

E.Abadie

Auteur: M.Chevalier@agencedesprovinces.fr
Date: 20 avril 16:21
Adresse: E.Abadie@agencedesprovinces.fr
Objet: Réunion

Élisabeth,

D'accord pour le 24. Vous êtes libre après la réunion? Je voudrais vous consulter sur quelques transactions complexes.

Morgane

(a) **To Didier:** Apologise; say we can't change the date: Agnès and Bruno can't come on Wednesday, Monsieur Dumas has to go to Bordeaux on Monday. What time can you (Didier) come on Tuesday? We must finish at 4 pm.

(b) **To Morgane:** Give some reasons why you are not available and suggest an alternative time or date.

2 Try to memorize your e-mail to Morgane, and now speak it aloud as if leaving a voice-mail message.

Laissez un message sur le répondeur automatique de Morgane.

Activité 25 Extrait 12

1 Look at these two drawings. Which one is a *portable*?

Regardez les dessins et répondez à la question.

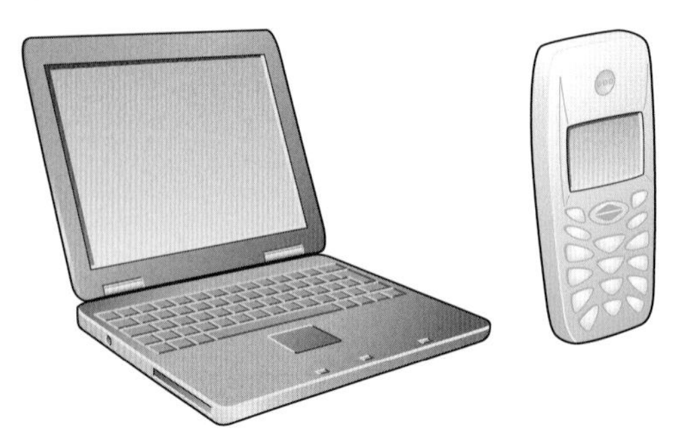

2 Élisabeth and Yannick are working late. Élisabeth needs to contact another branch manager urgently. Listen to Extract 12 and answer the following questions in English.

Écoutez l'extrait et répondez aux deux questions.

(a) Who does Élisabeth want to get hold of?

(b) Why does the other person have two phone numbers?

3 Listen again and look at the two phone numbers reproduced below. Will she get through successfully using these? Correct any errors.

Ces numéros sont-ils corrects?

- 04.42.38.82.92
- 02.37.55.13.62

LES NUMÉROS DE TÉLÉPHONE

All French phone numbers have ten digits, which are usually given in pairs and pronounced as full numbers, for example:

04.42.38.92.82
zero quatre,
quarante-deux,
trente-huit,
quatre-vingt-douze,
quatre-vingt-deux

The first two digits indicate the area, as indicated on the diagram.

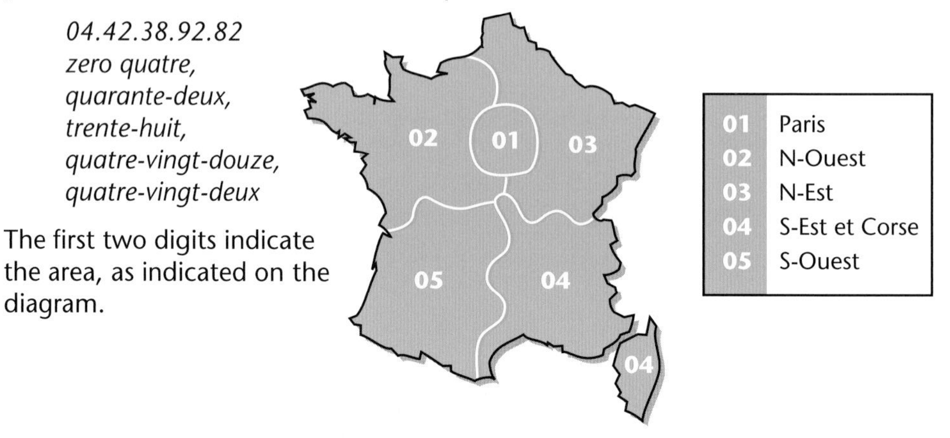

A subscriber with the number 01.43.25.62.13 therefore lives in Paris. Mobile phone numbers start with 06.

You can give someone a phone number as follows:

> *Mon numéro/Le numéro de X,* ***c'est le*** *zéro six, trente-deux, quatre-vingt-un, cinquante-huit, soixante [06.32.81.58.60].*

Activité 26

1 Say the correct versions of the numbers from Activity 25 aloud.

Dites les numéros à voix haute.

2 Is Élisabeth right about the location of Agnès' second home?

Répondez à la question.

Activité 27 Extrait 13

1 In Extract 13 you hear what Élisabeth heard when she rang Agnès. Listen to it and then answer the questions.

Écoutez l'extrait et répondez aux questions.

(a) Note down the number that's given.

(b) Which other method of contact is suggested?

2 Using the transcript to help you, devise a message for your own answerphone and practise speaking it aloud.

Inventez un message.

Session 5

In this session you will revise how to discuss work, working hours and annual leave patterns, how to arrange meetings, and also prepositions, telephone numbers, acronyms and the verbs *pouvoir* and *devoir*.

Activité 28

1 Fill the gaps in the following text with the appropriate words and expressions.

Complétez le texte suivant.

> Je (a) __________ chef comptable (b) __________ une banque. Je (c) __________ la comptabilité générale.
>
> Je travaille, comme tout le personnel administratif, (d) __________ lundi (e) __________ vendredi. Dans notre agence on a des horaires variables.

D'habitude, (f) __________ printemps et (g) __________ été, je commence (h) __________ 8 heures, donc je (i) __________ partir (j) __________ chez moi (k) __________ 7 heures; mais, comme ça, je (l) __________ jouer au tennis (m) __________ midi. En général, je finis la journée (n) __________ 18 heures.

Mais (o) __________ hiver, j'arrive (p) __________ bureau (q) __________ 9 heures et je pars (r) __________ banque (s) __________ 19 heures, quelquefois (t) __________ 20 heures.

Pour les vacances, je prends des congés (u) __________ juin et (v) __________ novembre. Je fais le (w) __________ du 1er novembre; je ne (x) __________ pas de congés (y) __________ automne.

2 Imagine that you are the person whose details are given below and speak about yourself.

Parlez de votre vie.

- agent d'accueil – une agence (Europa Voyage)
- responsabilités: voyages d'affaires
- mardi–samedi: 8 h 15–17 h 45 (maison → travail: 30 minutes)
- printemps, été et automne – sports; hiver – cinéma
- congés: profiter des promotions sur l'Internet; ponts 1er + 8 mai; longs week-ends, hiver et été

Activité 29 Extrait 14

1 Élisabeth has stored some phone numbers on her laptop, but it seems to have developed a virus! Listen to Extract 14 and complete the numbers.

Écoutez l'extrait et écrivez les numéros.

Pierre 02.54.69. - -
Olga 01.45. - - - -
P&T - - - - - 5.90
Christine - - .12.34. - -

2 Practise saying the full numbers from step 1.

Dites les numéros à voix haute.

Activité 30 Extrait 15

1 Listen to Extract 15. Why doesn't one speaker leave home in the mornings?

Écoutez l'extrait et répondez à la question.

2 Listen again. Complete the table below with the times you hear, using *il/elle* + the correct form of the verb used by the speaker.

Complétez le tableau.

	Matin	Fin de journée
Francis	Il part à 8 heures.	
Maryse		
Lionel		

Activité 31 Extrait 16

1 Translate these sentences into French.

Traduisez ces phrases en français.

(a) I'm sorry, but I can't work this evening.

(b) Very sorry, but I'm leaving the agency at half past six.

(c) Yes, I have to get back at 7 pm.

(d) I'm going to the restaurant with Nicole.

2 Take the role of Laurent, who had agreed to work late today helping Christine write up some interviews but now has to phone and let her down. Memorize the sentences you translated above, then listen to Extract 16. Speak in the pauses, using the sentences you've memorized in the order shown above.

Participez à la conversation.

Activité 32

You have received the two e-mails below. Referring to your *carnet de rendez-vous*, shown here, reply (1) to Claude by e-mail and (2) to Thérèse by voice-mail.

Répondez aux courriels.

Auteur: C.Marchand@artsetloisirs.fr
Date: 20 avril 15:22
Objet: Mon projet

Je voudrais prendre rendez-vous, s'il vous plaît, pour discuter du financement de mon projet. Vous êtes libre à 8 h 45, le 10 mai?

Claude

Auteur: T.Giroud@magadou.fr
Date: 20 avril 16:01
Objet: Expo Informatique

J'aimerais aller à l'Exposition de l'informatique à la Chambre de commerce, le 10 mai. Vous voulez venir? Je pars vers 14 heures. On peut déjeuner avant au Bon Viveur si vous voulez.

Thérèse

l'informatique *information technology, IT*

Activité 33 Extrait 17

1 These phrases and titles have well known acronyms. Listen to them being read out in Extract 17 and number the phrases in the corresponding order.

Numérotez les expressions.

(a) revenu minimum d'insertion

(b) président-directeur général

(c) toutes taxes comprises

(d) taxe sur la valeur ajoutée

(e) Électricité de France

(f) Service d'aide médicale d'urgence

2 Listen again and repeat the acronyms.

Écoutez et répétez les sigles.

3 Now give an English equivalent for each one, or explain its meaning.

Trouvez l'équivalent en anglais.

FAITES LE BILAN

Now that you have finished the first five sessions of this unit, you should be able to:

- Give information about where you or someone else work(s) ❑
- Talk about responsibilities at work ❑
- Talk about working hours ❑
- Talk about patterns of annual leave and about holiday plans ❑
- Arrange a meeting and make an appointment ❑
- Use common acronyms and deal with phone numbers ❑
- Use prepositions such as *dans*, *à* and *chez* with places of work ❑
- Use prepositions such as *de*, *à* and *en* with days, dates, months and seasons ❑
- Use *pouvoir* and *devoir* ❑

Tick each box when you think you can do each point. If you are not sure about something, go back and revise it in the appropriate session.

Session 6

In this session you and Christine spend time with Yannick, observing his work.

Key Learning Points

- Discussing a schedule
- Using *en* in set phrases
- Using the definite article with days and times for regular activities

Activité 34  Extrait 18

1 Listen to Extract 18 and answer the following question.

Écoutez l'extrait et répondez à la question.

Are Élisabeth and Yannick discussing her schedule for:

(a) this morning? ❑

(b) tomorrow? ❑

(c) this week? ❑

vendent
are selling

descend
(here) is staying

2 Listen again. Fill in the times of appointments on the first day of the week's diary.

Mettez les horaires.

AVRIL				
23 – lundi	**24 – mardi**	**25 – mercredi**	**26 – jeudi**	**27 – vendredi**
• rendez-vous – M. et Mme Chauvet • courrier • quitter bureau → ville • déjeuner – Bon Viveur après-midi:		Visite propriétés, Toulon	(Yannick?)	

Activité 35 Extrait 18

1 Listen again to Extract 18 and fill the gaps in the following sentences.
Complétez les phrases.

(a) Nous __________ __________ le planning.

(b) Je __________ absolument __________ le bureau à 11 heures.

(c) On __________ __________ le courrier à quelle heure?

(d) Vous __________ __________ une table pour deux au Bon Viveur, s'il vous plaît?

2 Using the same verbs as in step 1, fill the gaps in the following sentences with the correct forms.
Complétez les phrases.

(a) Élisabeth et Yannick __________ __________ le planning.

(b) Elle __________ absolument __________ le bureau à 11 heures.

(c) Nous __________ __________ le courrier à quelle heure?

(d) Tu __________ __________ une table pour deux au Bon Viveur, s'il te plaît?

Activité 36 Extrait 18 et 19

1 What do you think the following phrases mean?
Traduisez les phrases suivantes.

(a) en congé

(b) en réunion

(c) en déplacement

2 Listen now to the rest of Élisabeth and Yannick's conversation in Extract 19 and complete the gaps in the diary from Activity 34, using the three phrases from step 1.
Complétez le planning de l'activité 34.

3 What is the difference in meaning between *à la poste* in Extract 18 and *au poste* in Extract 19?
Expliquez la différence.

4 Choose the correct answer.
Choisissez la bonne réponse.

(a) Les Chauvet sont:
- (i) en retard; ❑
- (ii) en avance; ❑
- (iii) à l'heure. ❑

(b) Élisabeth est:
- (i) en retard; ❑
- (ii) en avance; ❑
- (iii) à l'heure. ❑

vous n'avez pas oublié que
you haven't forgotten that

demain
tomorrow

Nous attendons
We're expecting

Quelle semaine!
What a week!

déjà
already

pile
on the dot

Activité 37 Extrait 20

Listen to Extract 20 and speak in the pauses according to the prompts given.

Parlez dans les pauses suivant les indications.

Exemple

Vous entendez: Vous êtes en réunion demain?

(Non, mercredi.)

Vous dites: Non, je suis en réunion **mercredi**.

G 5 Using the definite article with days and times for regular activities

In Extracts 19 and 20 you heard sentences similar to the following ones, giving activities that are planned for particular days or times:

Je suis en réunion ***jeudi.***
I am at a meeting on Thursday. (i.e. a **particular** Thursday)

Élisabeth n'est pas libre ***lundi matin.***
Élisabeth is not free on Monday morning. (i.e. the **coming** Monday morning)

Tu travailles ***samedi après-midi?***
Are you working on Saturday afternoon? (i.e. the **coming** Saturday afternoon)

Je ne travaille pas ***demain matin.***
I am not working in the morning/**tomorrow** morning.

By using the **definite article** with days of the week or times of day, you can indicate recurrent actions and regular activities:

Je suis en réunion ***le jeudi.***
I am at a meeting on Thursday**s**. (i.e. **every** Thursday)

Élisabeth n'est pas libre ***le lundi matin.***
Élisabeth is not free on Monday morning**s**. (i.e. **every** Monday morning)

Tu travailles ***le samedi après-midi?***
Do you work on Saturday afternoons? (i.e. **every** Saturday afternoon)

Je travaille ***le matin.***
I work in the morning**(s)**. (i.e. **every** morning)

Notice in all the examples that in French, when saying something happens **on** a particular day, there is no equivalent for the 'on' in English.

Activité 38

The timetable below shows the weekly rota for reception duties at the agency. Taking each person in turn, say when during the week they work on reception. Do this activity orally.

Parlez des plages de travail.

Exemple

Alexandre travaille à la réception **le** mardi après-midi et **le** mercredi matin.

	lundi		mardi		mercredi	
	matin	après-midi	matin	après-midi	matin	après-midi
Alexandre				✓	✓	
Denise	✓					✓
Jean-Yves	✓		✓			
Nicole		✓				✓
Yannick			✓		✓	

EXPLOITING COURSE MATERIAL FURTHER

Throughout the course, you will find activities that easily lend themselves to further practice. Here are a few ideas:

- You can continue work on Activity 38 by also stating (in writing or orally) when the staff mentioned **do not** carry out reception duties, thereby practising the negative form: *Alexandre ne travaille pas à la réception le lundi*, etc.
- In Activity 35 (step 2), you could change the person in each sentence again to practise more forms of *devoir* and *pouvoir*: ***Ils peuvent** regarder le courrier à quelle heure?*
- In forthcoming Activity 40 and similar ones, you can use Élisabeth's e-mail as a model to create your own message, changing some of the details to practise other vocabulary: *je préfère partir **tôt samedi**; appelez-moi **au bureau***, etc.

You can check your work with your tutor or a fellow student if you wish, but in any case further practice like this will always be beneficial and boost your confidence.

Activité 39

Translate the following sentences into French.

Traduisez les phrases suivantes en français.

1 Is Yannick on leave on Thursday?

2 Yannick and Nicole do not work on Saturdays.

3 I have a meeting in the morning.

4 Élisabeth is at a meeting tomorrow afternoon.

5 We cannot leave the office in the mornings.

6 Élisabeth is never available on Friday afternoons.

Session 7

Élisabeth has now left the office to meet Monsieur Dumas. She and Yannick also have to organize her other forthcoming trip, and Yannick must think ahead to the holiday closure.

Key Learning Points

- Requesting travel information
- Using verbs ending in *-endre*

Activité 40

1 Read the following text from an e-mail Élisabeth has sent and answer the questions below.

Lisez le courriel d'Élisabeth et répondez aux questions.

S.V.P.: s'il vous plaît

> Yannick, Vendredi – journée rouge sur les routes (pont du 1er mai) – je ne veux pas aller en voiture à Annecy. Est-ce que vous pourriez consulter les horaires des trains et des avions S.V.P.? Vol direct si possible. Je déteste voyager tard la nuit; je préfère partir tôt vendredi matin.
>
> Appelez-moi sur mon portable.
> Élisabeth

(a) What has Élisabeth decided against?

(b) What does she want Yannick to do?

(c) How and when does she prefer to travel?

(d) How should Yannick contact her?

(e) What do you think she means by *une journée rouge*?

Activité 41 Extrait 21

1 Listen to Extract 21 and answer these questions.
Écoutez l'extrait et répondez aux questions.

(a) Who is talking in this extract?

(b) What is the purpose of the phone call?

(c) Which means of transport are discussed?

j'ai vérifié
I've checked

tant pis
too bad, never mind

la correspondance
connection

toujours
(here) still

dépend de(s)
depends on

2 Listen again and fill the gaps with the words you hear.
Complétez les phrases suivantes.

(a) Le premier train __________ à quelle heure?

(b) ... vous __________ changer à Lyon.

(c) __________ attend longtemps __________ Lyon?

(d) La correspondance pour Annecy est à __________ heure?

(e) ... mais __________ Lyon __________ Annecy c'__________ direct, non?

(f) ... un __________ pour Annecy __________ le 27.

(g) ... je __________ être __________ vers 19 heures. Ça dépend des clients. Il y __________ un train vers 19 h 30?

Activité 42

Now read the transcript for Extract 21 and underline all the forms of the verbs *attendre, entendre, vendre* and *dépendre*.

Soulignez les verbes dans la transcription.

G 6 Using verbs ending in '-endre'

Attendre, entendre, vendre, dépendre and *descendre* all follow the same pattern of conjugation:

*Elle **attend** Pierre.*
She's waiting for/expecting Pierre.

*J'**entends** un bruit. Et toi?*
I can hear a noise. What about you?

*Il **vend** des voitures de sport.*
He sells sports cars.

*Ça **dépend**.*
It depends.

*Ils **descendent** à Marseille jeudi.*
They're coming down to Marseilles on Thursday.

vendre
je vend**s**
tu vend**s**
il/elle/on vend
nous vend**ons**
vous vend**ez**
ils/elles vend**ent**

Activité 43

Select one item from each column in the table below and write as many grammatically correct sentences as possible in ten minutes.

Écrivez des phrases en utilisant les mots ci-dessous.

Je	attendons	du train	demain soir.
Nous	attendez	en bas	à 15 heures.
Élisabeth et Yannick	descend	des collègues	à l'hôtel du Centre.
Monsieur Dumas	attendent	ce soir	à la réception.
Vous	attends	le courrier	au premier étage.
On	descends	à l'hôtel	à la gare du Nord.
J'	attend	un mail	vendredi.

Activité 44 Extrait 22

numéro de train / *notes à consulter*		17651 *1*	17551/0	5162/3 TGV	83505	17657	96504/5	96504/5
		vélo	vélo	bar, handicapés	vélo	vélo		vélo
Hendaye	Dep							
Bayonne	Dep							
Dax	Dep							
Pau	Dep							
Lourdes	Dep							
Toulouse-Matabiau	Dep							
Montpellier	Dep			07.18				
Nîmes	Dep			07.48				
Valence-Ville	Arr							
Lyon-Part-Dieu	Arr	06.10	06.46	09.10	09.15	09.20	09.34	09.34
Grenoble	Arr	07.39				10.49		
Chambéry-Chal.-les-Eaux	Arr		08.03		10.31			
Aix-les-Bains-le-Revard	Arr		08.28					
Bellegarde	Arr						10.52	10.52
Annemasse	Arr						11.33	
La Roche-sur-Foron	Arr						11.57	
St-Gervais-L-B-Le-Fayet	Arr						12.35	
Genève	Arr							11.23

Bar
Vente ambulante
voir guide train + vélo
Place(s) handicapés
Distribution automatique de boissons
Couchettes

Trains circulant tous les jours (fond coloré)
TGV *Réservation obligatoire*
Service nuit
Aucun TGV n'est accessible aux abonnés de travail.
Pour les autres trains renseignez-vous en gare.

1. You want to take the first train from Nîmes to Grenoble on 10 May but your timetable, shown here, may be out of date. Using the phrases from Activity 41 (step 2) as a model, write five questions about suitable trains and your request for a return ticket.

   Écrivez six phrases.

2. Practise saying your sentences aloud.

   Répétez les phrases à voix haute.

3. Listen to Extract 22. Speak in the pauses according to the prompts given in English.

   Parlez dans les pauses suivant les indications.

4. Is your timetable still correct?

   Répondez à la question.

Activité 45 Extrait 23

joindre
to contact

dès
from, as from (time)

nous rappelons
we remind

1 Yannick is recording an office answerphone message for the holiday closure. Listen to Extract 23 and answer the following questions.

Répondez aux questions.

(a) When will the office re-open?

(b) Look at this sign. In recording his message, what mistake did Yannick make?

AGENCE DES PROVINCES
Heures d'ouverture:
Lundi-vendredi 9h–12h30, 14h30–18h

2 The office will also be closing for the *pont du 8 mai* and you have been asked to prepare a new message for the answerphone. Join the elements in column 1 with those in column 2 to create your message.

Faites correspondre les expressions pour préparer un nouveau message.

(a) Vous parlez au...	(i) ... en raison du pont du 8 mai.
(b) Notre bureau est fermé...	(ii) ... et au revoir.
(c) Vous pouvez nous appeler...	(iii) ... répondeur automatique de l'agence des Provinces.
(d) Nos heures d'ouverture sont...	(iv) ... mercredi 9 mai après 9 heures.
(e) Merci...	(v) ... de 9 heures à 12 h 30 et de 14 h 30 à 18 heures.

JOURS ET HEURES D'OUVERTURE

Many shops and commercial outlets in France – even in large towns – close for two hours at midday, then stay open until 6 or 7 pm (although in business the trend is increasingly towards employees working a *journée continue*, with a short lunch break of typically forty-five minutes).

Patterns are changing, but most outlets open five days a week:

- the majority of shops close on Sundays, although some food and other small shops – particularly the *boulangerie* and the *bar tabac* – do open;
- museums and restaurants open on Sundays, but often close one day during the week (usually on Monday or Tuesday);
- some banks are open on Saturdays, but close on Mondays.

Session 8

Here you learn more about Élisabeth's trip to Annecy, where she investigates hotels to find a venue for the staff development event.

Key Learning Points

- Looking at hotel facilities
- Discussing a completed business trip
- Reporting on a day's work
- Using the *passé composé* to talk about past events

Activité 46

1 Read the e-mail that Élisabeth received last week from a colleague in Annecy and tick the correct answer below.

Lisez le courriel et cochez la bonne réponse.

Élisabeth wrote to Aurélie to ask about:

(a) the location of hotels in Annecy; ❑

(b) the facilities provided by hotels in Annecy; ❑

(c) the list of hotels in Annecy. ❑

E.Abadie

Auteur: A.Vincent@agencedesprovinces.fr

Date: 20 avril 16:30

Adresse: E.Abadie@agencedesprovinces.fr

Objet: Hôtels à Annecy

Élisabeth, Vous avez écrit pour demander mon opinion sur certains hôtels d'Annecy et leurs services. J'ai mangé à 2 ou 3 occasions à l'hôtel Magenta mais c'est loin de la gare et sans parking. En mars j'ai rencontré des collègues à l'hôtel du Centre mais nous n'avons pas vu la salle de séminaire. Je ne suis jamais allée à l'hôtel du Commerce – j'ai lu qu'ils n'ont pas de restaurant! M. Dumas est resté quelquefois à l'hôtel du Parc – c'est grand et bien équipé. Mon assistante a envoyé ce matin un fax des tarifs à Yannick.

Aurélie

2 Aurélie's e-mail contains verb forms from a tense used to talk about the past. In the table below, match each past-tense verb form (column 2) to its infinitive (column 1). Check the meaning of any infinitives you don't know in your dictionary.

Associez les formes de la colonne de droite aux infinitifs dans la colonne de gauche.

(a) écrire	(i) rencontré
(b) manger	(ii) vu
(c) rencontrer	(iii) resté
(d) voir	(iv) écrit
(e) aller	(v) lu
(f) lire	(vi) envoyé
(g) rester	(vii) mangé
(h) envoyer	(viii) allé(e)

3 For each of the past-tense verb forms in column 2 above, spot the other verb form that comes immediately before it in Aurélie's e-mail and give its infinitive.

Identifiez les mots dans le courriel.

4 Looking at the verbs whose infinitives end in *-er*, what do you notice about the spelling of their past-tense forms?

Répondez à la question.

5 Using Aurélie's information, enter the hotel name beside the relevant information in this accommodation guide.

Remplissez le guide avec le nom des hôtels.

HÔTEL	CHAMBRES	PARKING	SÉMINAIRE	RESTAURANT	FAX INTERNET
	105	✓	✓	✓	✓
	42		✓	✓	
du Centre	23	✓	✓	✓	
	30	✓	✓		✓

G 7 Using the 'passé composé' to talk about past events

Extrait 24

The perfect tense (or *passé composé*) is used to talk about things that have happened in the past. In English these can be expressed in various ways (usually depending on context).

> *Vous **avez écrit** pour demander mon opinion.*
> You **wrote/have written** to ask my opinion.

> *J'**ai rencontré** des collègues à l'hôtel du Centre.*
> I **met/have met** colleagues at the Hôtel du Centre.

As these examples show, the *passé composé* has two parts: a form of ***avoir*** in the present tense + the **past participle** of the main verb.

A few verbs use the present tense of ***être***, not ***avoir***, for the first part; a list of these will be provided in Unit 6, session 4.

> *Monsieur Dumas **est resté** à l'hôtel.*
> Monsieur Dumas **stayed/has stayed** at the hotel.

The past participle

The past participle for ***-er*** verbs is formed by removing the *-er* ending and adding '**-é**', and it sounds identical to the infinitive:

> *Mon assistante a envoy**é** un fax.*
> My assistant sent/has sent a fax.

Past participles of other types of verb take other endings (e.g. *écrit*, *lu*, *vu*), and will be covered in Unit 6.

It's worth noting that for verbs that use *être*, the past participle **behaves like an adjective**, taking the appropriate agreement:

> *Les voitures sont ancien**nes**.*
> (adjective agreeing with *les voitures* – feminine, plural)

> *Les voitures sont rest**ées** dans le parking.*
> (past participle likewise agreeing with *les voitures*)

Word order in negative phrases

Note the order of words in negative phrases, where *ne ... pas* (etc.) go around the *avoir/être* form:

> *Nous **n'avons pas vu** la salle de séminaire.*
> We haven't seen/didn't see the conference room.

> *Je **ne suis jamais allé(e)** à cet hôtel.*
> I've never been/never went to that hotel.

You can hear these examples of the *passé composé* in Extract 24.

sombre
dark

c'est dommage
that's a pity

Activité 47 Extrait 25

1 Listen to Élisabeth and Yannick in Extract 25. Élisabeth has returned from Annecy. Did she like the first hotel?

Écoutez l'extrait et répondez à la question.

2 Listen again and select the correct alternatives below.

Cochez la bonne réponse.

(a) Élisabeth:

(i) est restée longtemps à l'hôtel du Centre; ❑

(ii) n'est pas restée longtemps à l'hôtel du Centre. ❑

(b) Elle a trouvé la salle de séminaire:

(i) petite et sombre; ❑

(ii) grande et agréable. ❑

(c) Elle a mangé à:

(i) l'hôtel du Centre; ❑

(ii) l'hôtel du Parc; ❑

(iii) en ville. ❑

Activité 48 Extrait 26

1 Look at the following list and listen to the rest of the conversation between Élisabeth and Yannick in Extract 26. Which of these are being discussed?

Trouvez les bonnes réponses.

(a) la capacité de l'hôtel ❑

(b) le prix des chambres ❑

(c) la situation de l'hôtel ❑

(d) le directeur ❑

(e) la carte du restaurant ❑

(f) les salles de fonction ou de séminaire ❑

(g) le parking de l'hôtel ❑

personnel (m.)
staff

ensemble
together

ni
nor

autrement
otherwise

tout à fait
yes, precisely/ that's right

2 Listen again, and say whether the following statements are true or false.
Vrai ou faux?

	Vrai	Faux
(a) Élisabeth a rencontré le directeur de l'hôtel du Parc.	❑	❑
(b) Élisabeth n'a pas déjeuné avec le directeur.	❑	❑
(c) Elle a mangé seule.	❑	❑
(d) Elle n'a pas vu la piscine.	❑	❑
(e) Elle a visité le gymnase.	❑	❑
(f) Elle a choisi l'hôtel du Parc.	❑	❑
(g) Yannick a écrit aux participants.	❑	❑
(h) Il n'a pas envoyé le programme.	❑	❑

3 Correct the sentences you marked *faux* by adding or removing *n' ... pas*.
Corrigez les phrases.

Activité 49

1 Look at the transcript for Extracts 25 and 26. Write out the past participles of the following verbs with their meanings.
Écrivez les participes passés.

(a) déjeuner
(b) faire
(c) écrire
(d) parler
(e) aller
(f) voir
(g) aimer
(h) arriver
(i) choisir
(j) rester

2 Which of the verbs above use *être* (rather than *avoir*) to form the *passé composé*?
Identifiez les participes passés avec 'être'.

3 Here are Élisabeth's answers to questions that Yannick asked her in Extracts 25 and 26. Give the corresponding question for each one. Listen again for any you don't remember.
Trouvez les questions.

(a) Oui, oui. Le train est arrivé à l'heure.
(b) Non, non, j'ai mangé [...] à l'hôtel du Parc.
(c) Oui, j'ai rencontré le directeur.
(d) Je n'ai pas vu la piscine, ni le gymnase. Autrement, j'ai tout visité [...].

4 Now practise saying these questions and answers aloud.
Répétez les réponses à voix haute.

Activité 50

Look at Yannick's notebook. Writing as Yannick, send an e-mail to Élisabeth reporting what you have and have not done today, giving reasons where appropriate.

Écrivez un courriel à Élisabeth.

rencontrer client (M. Bailly) – 12h ✓
lettre à M. German ✓
confirmer réservation – Bon Viveur vendredi ✗
(fermé, réparations)
→ poste ✓
envoyer horaire (trains) → collègues bordelais ✓
organiser réunion ✗ (Marc en congé)

Activité 51

Extrait 27

You are taking the role of Élisabeth. Listen to Extract 27 and speak in the pauses according to the prompts given.

Parlez dans les pauses suivant les indications.

Session 9

In this session Christine continues her research into work and working patterns at the agency, and also considers trends in communication habits.

Key Learning Points

- Talking about working patterns and conditions
- Talking about methods of communication

Activité 52 Extrait 28

1 According to what you think the expressions in bold mean, match the sentences in column 1 to those in column 2.

Faites correspondre les phrases.

(a) Daniel a **un emploi à plein temps**.	(i) Il travaille trois jours par semaine.
(b) Jean a **un emploi à temps partiel**.	(ii) Du lundi au jeudi il travaille huit heures par jour, mais le vendredi il part à midi.
(c) Daniel **fait la journée continue**.	(iii) Il travaille tous les jours, sauf le samedi et le dimanche.
(d) Daniel **fait les trente-cinq heures**.	(iv) Il peut choisir ses heures de travail (à l'intérieur de plages).
(e) Jean a **des horaires variables**.	(v) Il travaille de 8 heures à 16 h 30 avec une petite pause de trente minutes à midi.

comme
(here) like;
(also) because

ça me permet
it allows me to/ means I can

par contre
on the other hand

rédiger
to write (something)

2 Listen to Yannick in Extract 28. Based on the information in column 1 above, is his working pattern similar to Daniel's or to Jean's?

Est-ce que Yannick travaille comme Daniel ou comme Jean?

3 Listen again and answer the following questions in French.

Répondez aux questions.

(a) Quels sont les jours où Yannick ne travaille pas?

(b) Combien de temps est-ce qu'il a pour manger à midi?

(c) Du lundi au jeudi il reste au bureau jusqu'à quand?

(d) Il finit à quelle heure le vendredi?

(e) Qu'est-ce qu'il aime beaucoup dans son travail?

(f) Qu'est-ce qu'il n'aime pas?

(g) Il a combien de jours de congé par an?

LES TRENTE-CINQ HEURES

In 1998 Prime Minister Jospin (Parti socialiste) introduced a law limiting the working week to thirty-five hours. By 2002 most employment fell within this law. It is often called *la loi Aubry*, after the then employment minister Martine Aubry.

Following the introduction of this legislation, some employees were entitled to days off in lieu of accumulated extra hours worked (*jours de récupération*). Tour companies responded with short-break package deals (*forfaits*) enabling more people to *partir en week-end* regularly.

Activité 53

1 Élisabeth has provided some information for you and Christine about her work. Match the words shown here in bold to the English equivalents in the box.

Faites correspondre les expressions en gras aux expressions anglaises.

Je suis cadre dans une agence immobilière. C'est un emploi à plein temps, et non à temps partiel. Je fais les trente-cinq heures. Du lundi au vendredi, je travaille de 9 heures à 18 h 30 et le samedi matin **sur rendez-vous. J'ai droit à** trente-deux jours de **congé payé** par an, plus des **jours de récupération**. J'adore rencontrer mes clients. J'ai horreur des réunions interminables au bureau.

paid leave • by appointment • days off in lieu • I am entitled to

2 Using the information in (a)–(d) below, give each person's annual leave entitlement.

Parlez des congés payés de ces personnes.

Exemple

Responsable du bureau (il) – 25 jours

Il est responsable du bureau, et il a droit à vingt-cinq jours de congé par an.

(a) secrétaire (elle) – 28 jours

(b) professeurs (elles) – 2 mois

(c) libraires (nous) – 25 jours

(d) mère au foyer (je) – 0 jours *[use* ne … pas*]*

Activité 54 Extrait 29

Three people were interviewed about their work and leave entitlement. Listen to Extract 29 and complete the table.

Remplissez le tableau.

	Catherine	Patrick	Maryse
Travaille où?			
Plein temps/temps partiel?			
Congés payés			
Autres renseignements			

LISTENING TO AUTHENTIC FRENCH

You are not expected to understand everything you hear in the extracts recorded for this course, nor will it be necessary to re-use all the language you hear. The important thing is to accustom your ear to authentic French, often spoken at normal speed, and to train yourself to pick up the gist of what is being said. Listen out for vocabulary that you're already familiar with, and concentrate on the key points in what is being said, as in Activity 54.

Activité 55

Speak a little about your job, indicating where you work, your hours and your leave entitlement. If you're not in paid employment, speak for someone you know who is. You may wish to record yourself.

Parlez de votre travail.

Activité 56

1 Fill the gaps to restore the vowels in these expressions of frequency.

Mettez les voyelles qui manquent.

(a) s_ _v_nt

(b) t_ _s l_s j_ _rs

(c) q_ _lq_ _f_ _s

(d) j_m_ _s

(e) r_r_m_nt

2 Christine has found the survey questionnaire about communication patterns shown opposite on Yannick's desk. Complete the questionnaire yourself, based on your own habits.

Remplissez le questionnaire.

3 Based on your answers in step 2, now write full sentences about your communication habits.

Écrivez des phrases.

Exemple

J'écris souvent des lettres à mes amis.

J'envoie quelquefois des textos à ma famille.

Activité 57 Extrait 30

Listen to the questions in Extract 30, and reply using your information from Activity 56.

Parlez dans les pauses.

Plutôt branché(e) ou plutôt nostalgique? Comment communiquez-vous?

Sur cette planète de plus en plus petite, comment restez-vous en contact avec vos proches? Pour savoir si vous êtes plutôt branché(e) ou nostalgique, remplissez ce petit questionnaire sur vos méthodes préférées de communication.

1. Vous écrivez des lettres à vos amis?
   - tous les jours ❑
   - souvent ❑
   - quelquefois ❑
   - rarement ❑
   - jamais ❑

2. Vous envoyez des mails à vos amis?
   - tous les jours ❑
   - souvent ❑
   - quelquefois ❑
   - rarement ❑
   - jamais ❑

3. En vacances, vous adressez des cartes postales à vos collègues de travail?
   - tous les jours ❑
   - souvent ❑
   - quelquefois ❑
   - rarement ❑
   - jamais ❑

4. Vous envoyez des fax à vos amis?
   - tous les jours ❑
   - souvent ❑
   - quelquefois ❑
   - rarement ❑
   - jamais ❑

5. Vous téléphonez à vos amis?
   - tous les jours ❑
   - souvent ❑
   - quelquefois ❑
   - rarement ❑
   - jamais ❑

6. Vous envoyez des textos à votre famille?
   - tous les jours ❑
   - souvent ❑
   - quelquefois ❑
   - rarement ❑
   - jamais ❑

Quel type êtes-vous?

A **Branché(e)**

Activité 58 Extrait 31

j'ai établi
I set up/ established

j'ai eu
I had

pas mal de
quite a few

la grasse matinée
lie-in

1 (a) Three people who came into the branch today were interviewed. Listen to Extract 31 and note down the two questions they were asked.

Notez les questions.

(b) From the answers given, who is the odd one out and why? Answer in French.

Répondez à la question.

2 Listen to the extract again and tick the columns below to show who did what.

Cochez les bonnes réponses dans le tableau.

	Patrick	**Pascal**	**Francis**
avoir une réunion			
envoyer – courriels			
manger – cantine			
organiser – production			
écrire – lettres			
consulter – banque par Internet			

3 Using the words in the table, write a few sentences to say what you have or have not done today.

Écrivez des phrases.

VOUS AVEZ COMBIEN DE CONGÉS PAYÉS PAR AN?
130 JOURS – JE SUIS TOUJOURS EN RÉUNION LE MARDI ET LE JEUDI!

Session 10

In this session you will revise prepositions and the use of *en* in set phrases, the *passé composé*, arranging a business meeting, and discussing work and your working day.

Activité 59

Complete the following sentences using the words in the box.

Complétez les phrases suivantes avec les mots de l'encadré.

1 Élisabeth est _________ déplacement vendredi prochain.

2 Le cinéma est ouvert _________ mardi _________ dimanche _________ 21 heures _________ 23 h 45.

3 Je n'aime pas voyager _________ nuit _________ hiver.

4 Tu dois arriver _________ l'heure _________ matin.

5 _________ printemps Élisabeth quitte _________ bureau _________ 18 heures.

6 Yannick ne travaille pas _________ vendredi après-midi.

7 Monsieur Dumas est _________ congé _________ 15 _________ 23 juin.

en • à • de • au • du • le • la

Activité 60

1 Give the English translations and the past participles of the following infinitives.

Donnez les équivalents en anglais et les participes passés.

(a) aller
(b) écrire
(c) voir
(d) lire
(e) arriver
(f) avoir
(g) envoyer
(h) rester

2 Which of those verbs take *être* in the *passé composé*?

Répondez à la question.

3 Change the verb forms in the sentences below to the *passé composé*.

Mettez les verbes au passé composé.

(a) Élisabeth et Yannick déjeunent avec Monsieur Dumas.
(b) Monsieur Dumas arrive à l'heure.
(c) Yannick n'écrit pas aux participants de Lyon.
(d) Il reste une semaine?
(e) Je n'envoie pas le programme ce matin.
(f) Tu vois Sandrine au gymnase?

Activité 61

1 This is Danielle's account of working to an *horaire variable.* Imagine you are Danielle and write a few sentences about what you did today, thanks to flexi-time. Using the verbs shown in bold in the *passé composé,* base your answer on her information.

Écrivez des phrases pour décrire votre journée.

> Pour moi, c'est un avantage énorme. J'**arrive** au bureau à 7 h 30. Tout est tranquille: le téléphone ne sonne pas. Je peux **rédiger** très rapidement mes rapports. Je **consulte** quelquefois des sites Internet. Je peux lire mon courrier, **regarder** mon planning et **organiser** ma journée avant l'arrivée des clients. Mon seul regret: je n'ai jamais le temps de **lire** les infos dans le journal au petit déjeuner! Comme je finis à 16 h 30, je peux **aller** au supermarché tôt. C'est vraiment l'idéal.

2 Now read your answer from step 1 aloud, but using *elle* instead of *je* (and making any other necessary adjustments).

Dites votre réponse à voix haute.

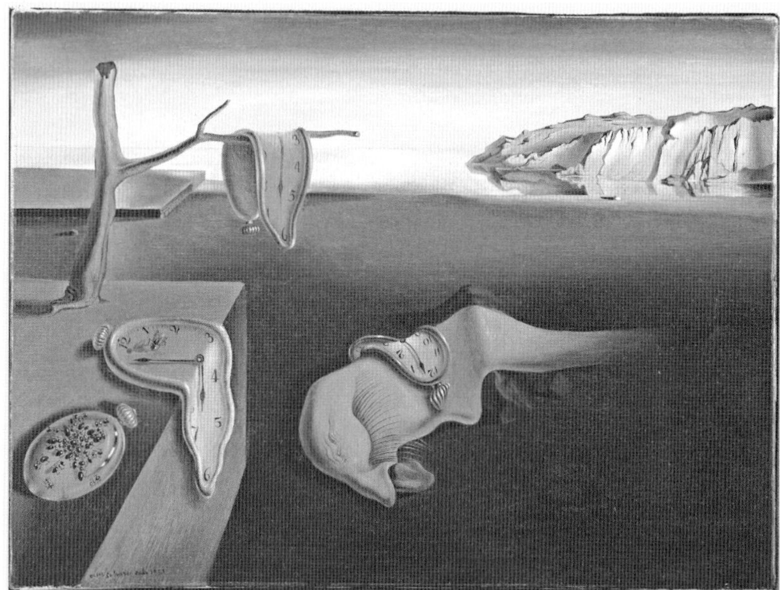

En 1931 est-ce que Salvador Dali peint son expérience du nouvel horaire variable au bureau?!

Activité 62 Extrait 32

1 It's Monday morning and Roger and Élisabeth are trying to arrange a meeting together. Listen to Extract 32 and, using the following time slots, note down the information you hear about Élisabeth's engagements from **Tuesday** to **Thursday**.

Remplissez les colonnes 2–4

	Mardi	Mercredi	Jeudi	Vendredi
Élisabeth	matin/après-midi:	matin: après-midi:	matin/après-midi:	matin: après-midi:
Roger		matin/après-midi: en déplacement (rendez-vous avec des clients espagnols)	matin/après-midi: libre	matin: après-midi:

2 Listen again and note down in the table above their arrangements for **Friday**, including the appointment they make.

Remplissez la colonne 5.

Activité 63

1 Read the following text from an e-mail Élisabeth has received from a colleague. Using the table from Activity 62 reply as though you were Élisabeth, saying why you are not free and suggesting alternative times.

Répondez au courriel.

> Madame Abadie, Je voudrais prendre rendez-vous rapidement. C'est à propos de nos clients, les Chauvet. Je suis libre demain mardi ou jeudi après-midi, comme vous préférez. Guy Lucas

2 Now you also want to make an appointment for this week to see Sandrine about the staff development event in Annecy. Leave her a voice-mail message containing the following information. Try to speak from notes only.

Enregistrez un message.

- Introduce yourself and say why you are calling;
- ask if she's free;
- say when you can come;
- ask her to confirm;
- end the message politely.

Activité 64

The verbs in brackets below are in the infinitive. Put each one into the present tense (where necessary).

Mettez les verbes au présent.

> Les assistants administratifs de notre entreprise (choisir) certaines de leurs heures de travail, mais nous (devoir) tous (travailler) pendant les plages fixes. Moi, je (partir) de chez moi à 8 heures du matin mais Alexandre (partir) à 9 heures. Je (pouvoir) (commencer) à 8 h 30; Alexandre et Nathalie (commencer) à 9 h 30. À midi nous (prendre) quarante-cinq minutes pour déjeuner. Je (descendre) à la réception avec Denise, où nous (attendre) Yannick. Je (finir) le soir à 16 h 30. Alexandre (finir) à 17 heures ou 17 h 15, mais il (travailler) quelquefois le samedi matin.

Activité 65

Imagine that you successfully applied for the post advertised below and have been doing the work for a few months. Speak about your job for about a minute. Include:

- your job, hours of work, lunch arrangements and leave entitlement;
- two things you like or do not like doing at work;
- at least four things you did today.

Parlez de cet emploi.

FAITES LE BILAN

Now that you have finished the last five sessions of this unit, you should be able to:

- Discuss and organize schedules ❑
- Plan and report back on a business trip ❑
- Request travel information ❑
- Talk about hotel facilities ❑
- Report back on a day's work ❑
- Talk about working patterns and conditions ❑
- Talk about methods of communication ❑
- Use *en* in set phrases ❑
- Use the definite article with days and times for regular activities ❑
- Use verbs ending in *-endre* such as *vendre* or *attendre* ❑
- Use the *passé composé* to talk about past events ❑

Tick each box when you think you can do each point. If you are not sure about something, go back and revise it in the appropriate session.

Corrigés

Activité 1

1 (a)–(iii), (b)–(i), (c)–(iv), (d)–(ii)

Did you notice the address of the estate agency: *rue du pont Saint-Bénezet*? This is the famous bridge in Avignon, named after the person who is said to have been inspired to build it in the twelfth century.

2 The agency's slogan '*Bienvenue chez nous, bienvenue chez vous*', roughly translated, means 'Welcome to our place, welcome to yours'. By coming to the agency (*chez nous*), you will find a home to rent or buy (*chez vous*)!

Activité 2

1 Two people greet you: Élisabeth and Yannick. Élisabeth also mentions their colleague Laurent, who isn't there just now.

2 (a) (i) cadre

(ii) chargée de la formation du personnel

(iii) responsable du bureau et de l'administration

(iv) les rendez-vous *(the appointments)*

(v) chargé de l'accueil des clients

The remaining expression from the box (*responsable du service des locations*) refers to Laurent, so was not required in this exercise.

(b) (i) customer liaison

Accueil is sometimes used to mean 'reception (desk/area)', and *agent d'accueil* is someone who works on reception or a customer adviser.

(ii) staff training/development

3 You will have said something like, '*Je m'appelle/Je suis Laurent Salvétat. Je suis responsable du service des locations.*' ('My name is Laurent Salvétat. I'm responsible for the lettings department.')

4 (a) C*hargé(e)* is an adjective, so it agrees with the person it relates to (adding an '-e' when referring to a female). Therefore Élisabeth is ***chargée** de la formation* ('in charge of') but Yannick is ***chargé** de l'accueil.*

(b) The word following *chargé(e)* and *responsable* is ***de***. Remember that *de* + *le* = *du* (but: *de la* and *de l'*).

5 You will have said something like:

Yannick Lelong est responsable du bureau et de l'administration. Il organise les rendez-vous pour Élisabeth et il est chargé de l'accueil des clients.

Activité 3

1 Christine probably asked them, '*Qu'est-ce que vous faites dans la vie?*' (because they all told her what their job is).

2 (a) est responsable de la; (b) est chargé de la; (c) est chargée de la

3 (a)–(iv), (b)–(vi), (c)–(ii), (d)–(i), (e)–(iii), (f)–(v)

Activité 4

You may have written:

1 Jeanne travaille **<u>à</u> la mairie de Nîmes**.

2 Paul et Valérie **travaillent <u>dans</u> un hôtel**.

3 Madame Trenet **travaille <u>chez</u> un médecin**.

4 Monsieur Dubois **travaille <u>dans</u> une usine**.

5 Virginie et Thérèse **travaillent** <u>**au**</u> **cinéma Rex**.

6 Samuel **travaille** <u>**chez**</u> **un fabricant de moteurs**.

Activité 5

1 la **RATP**; 2 la **CGT**; 3 l'**ANPE**; 4 les **P&T**; 5 **GDF**; 6 la **BNP**; 7 **CEDEX**

Activité 6

1 (a) la BNP; (b) GDF; (c) l'ANPE; (d) les P&T

2 Each of these is an organization, so the preposition used is ***à***.

(a) Je travaille **à** la BNP.

(b) Je travaille **à** GDF.

(c) Je travaille **à** l'ANPE.

(d) Je travaille **aux** P&T. (remember *à* + *les* = *aux*)

Activité 7

You might have answered:

- Colette est chargée des réservations à la gare Saint-Lazare.
- Marc est responsable du service après-vente chez un fabricant de chapeaux.
- Monique est responsable de l'administration des dossiers clients aux P&T.

Activité 8

1 (a) *Horaire fixe* is fixed-time working, where everyone works between the same hours, whereas *horaire variable* is flexi-time working.

(b) We know that the administrative/clerical staff (*personnel administratif*) does.

(c) All staff.

2 Statements (c), (f) and (g). All staff at the agency must be present between the hours of 9.30 am and 4.30 pm, and they cannot take their lunch break before midday.

3 You should have said:

(a) huit heures trente – seize heures trente

(b) dix heures

(c) huit heures – seize heures

(d) quinze heures

(e) neuf heures quinze – dix-sept heures quinze

(f) neuf heures quarante-cinq – dix-sept heures quarante-cinq

(g) onze heures trente

Activité 9

1 (a) Laurent; (b) Laurent; (c) Jean-Yves; (d) Sylvie

2

	part de la maison à...	commence à/arrive à...	finit à/part du bureau à...	rentre à la maison à...
Laurent	7 heures	8 h 30	18 h 30	20 heures
Jean-Yves	8 heures	8 h 45	17 h 30	18 h 15
Sylvie	8 h 30	9 h 15	18 h 45	19 h 30

3 As you will read in G2, you must put *de* before expressions of place when they follow *partir*.

Activité 10

1 The following sentences show all grammatical combinations of person and verb (columns 1 and 2); you may have used column 3 differently and given other times.

- Tu finis à 6 h 30 [du soir].
- Sylvie part de la maison avant 9 heures [du matin].
- Sylvie mange à la cantine à 12 h 30.
- Je finis à 5 h 15.
- Je mange à la cantine vers midi.
- Mes enfants finissent à 4 h 30.
- Mes enfants partent avec moi vers 8 h 45.
- Nous rentrons chez nous avant 7 heures.
- Beaucoup de collègues finissent avant 6 h 30.
- Beaucoup de collègues partent avec moi vers 5 h 30.
- Vous partez de chez vous vers 7 h 45.
- J'arrive au travail à 9 h 15.

2 Your answer here will be personal to you, but you might have said something like this for each one:

> Richard part de la maison à sept heures trente. Il arrive à son bureau à huit heures et demie. Il commence à neuf heures et il finit à cinq heures. Il rentre chez lui avant six heures.

Activité 11

1 (a) To invite Christine to the restaurant that evening.
(b) Yes, she does.
(c) She is interviewing at Dupont et Fils.
(d) Around 6.30–6.45.
(e) At 7.30.

2 (a) Ça te dit de; (b) veux – c'est; (c) ça dépend; (d) Ça te convient; (e) Oui, d'accord

Activité 12

1 Check your answers on the CD and in the transcript.

2 Christine asks two questions using *vous*:

- 'Vous partez de l'agence?'
- 'Vous partez à quelle heure?'

She uses *vous* in these questions because she is referring to Élisabeth and Yannick, that is, to more than one person.

You probably noticed in Extract 6 that Élisabeth addresses you as *vous*. This is because you do not know each other well.

Activité 13

Your response will be personal to you, but perhaps your ideal flexi-time led you to write something like this:

> Je pars de chez moi à 10 heures. J'arrive au bureau avant 10 h 30. Je prends un sandwich en ville à 13 heures. J'ai une heure pour déjeuner. Je finis le soir à sept heures, sept heures et quart. Je rentre vers 7 h 45. J'aime beaucoup l'horaire variable!

Activité 14

1 The purpose of the conversation is to agree the date of the next meeting. By the end of the conversation, no date has been decided.

2 (a) Le jeudi **24 mai**, c'est férié.
(b) Je ne **travaille** pas le 25. Je **fais** le pont.
Je fais le pont will be explained in the next activity.
(c) Nous partons en **Bretagne** du **jeudi** au **dimanche**.

Activité 15

1 One day (either a Monday or a Friday).

2 (a) ponts ('un pont')

(b) forfaits exceptionnels ('un forfait')

3 Roughly translated, *je fais le pont* means 'I'm taking a long weekend'. With the bank holiday on a Thursday, Nicole is taking an extra day off work on the Friday so that she can be away for four days (Thursday to Sunday). A *pont* occurs when the bank holiday is only one day away from the weekend (i.e. on a Thursday or Tuesday).

Activité 16

You could have said:

> Le mardi 8 mai, c'est férié. Je ne travaille pas le 7. Je fais le pont. Je pars/nous partons en Suisse du samedi au mardi.

Activité 17

1 *des congés* annual leave

été summer

des vacances holidays

hiver winter

2

	Jean-Yves	Nicole	Sylvie
été	✓		✓
automne		✓	
hiver	✓		
printemps		✓	

3 Jean-Yves is (c); Nicole is (e); Sylvie is (d).

4 (a) Expressions containing *prendre*:

- Est-ce que vous **prenez des congés** en été?
- Je **prends** aussi quatre ou cinq **jours de congé** en hiver...
- Vous **prenez des vacances** en hiver?
- Je **prends** un **jour de congé**.

Expressions containing *partir*:

- Je **pars en vacances** en été.

(You will also have heard *Je pars avec mes enfants* 'I'm going away with my children' and *Je ne pars jamais de janvier à avril* 'I never go away from January to April'.)

(b) The word before each season is ***en*** (***en*** *été,* ***en*** *automne,* ***en*** *hiver*) except for one (***au*** *printemps*).

Activité 18

1 (a) en; (b) en; (c) du; (d) au; (e) au; (f) en; (g) le; (h) du; (i) du; (j) au; (k) de; (l) en; (m) des; (n) en; (o) en

2 Laurent is (f) on the spreadsheet.

Activité 19

1 You could have written something like:

> Yannick prend des congés en hiver, normalement en janvier. Cette année il part dix jours à Chamonix parce qu'il aime beaucoup faire du ski. Il prend aussi des vacances en juin et en août. En juin, il va souvent chez ses parents à Paris. En août, il préfère rester chez lui.
>
> Élisabeth aime prendre des congés en mai et en septembre parce qu'elle n'aime pas beaucoup l'été. Il fait trop chaud! En mai, elle va souvent en Italie; elle adore l'Italie. En septembre, elle aime mieux rester en France et visiter d'autres régions. Cette année, elle prend aussi cinq jours de congé en novembre pour faire une randonnée à cheval.

2 Your answer will be personal to you, but you could have said something like:

> Je prends quinze jours de congé en été, normalement en juillet. Je vais souvent en Espagne avec des amis. J'adore l'Espagne! Je prends aussi des

vacances en hiver, en décembre. J'aime mieux rester chez moi pour Noël. Mais, au printemps, je pars souvent dix jours faire des randonnées à la campagne.

Activité 20

1 (a) 1936

(b) To take four weeks' holiday in the summer.

(c) Because they work fewer hours and can work flexi-time.

(d) French people now tend to stagger their holidays, going away more often but for shorter periods of time.

2 (a) Jean-Yves, Sylvie and Laurent are following the traditional model, in taking four weeks' holiday in the summer.

(b) Nicole is following the modern trend, in that she is taking lots of short breaks – around the bank holidays and particularly the *ponts* – and spreading her holidays throughout the year.

Yannick and Élisabeth are planning several holidays but also two longer main breaks, so they fall somewhere between the old and new style of holiday-maker!

Activité 21

1 She's phoning to make an appointment to see Dominique, which they manage to fix by the end of the phone call.

2 The correct order is (c), (f), (d), (b), (a), (g), (e).

3 (a) (i)–(c), (ii)–(f), (iii)–(b), (iv)–(d), (v)–(g), (vi)–(a), (vii)–(e)

(b) *Devons* and *dois* are forms of *devoir*; *peux* and *pouvez* are forms of *pouvoir*.

(c) The word is a verb in the infinitive each time.

Activité 22

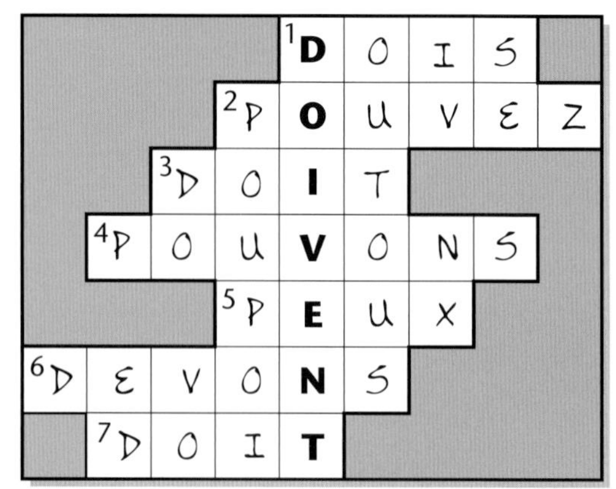

Activité 23

Check your answers on the CD and in the transcript.

Activité 24

1 (a) You may have written something like:

Didier, Merci de votre e-mail. Je suis désolée, mais nous ne pouvons pas changer la date de la réunion. Agnès et Bruno ne peuvent pas venir mercredi. Lundi, Monsieur Dumas doit aller à Bordeaux. Vous pouvez venir à quelle heure mardi? Nous devons finir [la réunion] à 16 heures. Élisabeth

(b) You might have written:

Bonjour Morgane. Merci de votre courriel. Je regrette, mais je ne suis pas disponible/libre après la réunion – je dois partir de l'agence à 16 heures. Vous pouvez venir jeudi? J'ai un rendez-vous le matin mais je suis libre après 11 h 30. À mardi. Élisabeth

2 Remember that in a voice-mail you would introduce yourself at the beginning, for example: *'Bonjour Morgane, c'est Élisabeth.'*

Activité 25

1 Both are called *portable*, whether it is *un téléphone* or *un ordinateur*! (A mobile phone is also called *un téléphone mobile*.)

2 (a) Élisabeth wants to speak to Agnès Farraud.

(b) Because she has a second home.

3 She'll only get through on the second of these numbers. The first one should be 04.42.38.**92.82**. The second is correct.

Activité 26

1 (C'est le) zéro quatre, quarante-deux, trente-huit, quatre-vingt-douze, quatre-vingt-deux.

(C'est le) zéro deux, trente-sept, cinquante-cinq, treize, soixante-deux.

2 No, she isn't. A number starting with 02 is in the north-west of France; a number for a subscriber living in the Pyrenees would start with 05.

Activité 27

1 (a) 06.76.54.32.10

(b) You could leave her a voice-mail message.

2 Your message will be personal to you, but ensure that you re-used the key phrases from Extract 13.

Activité 28

1 (a) suis; (b) dans; (c) suis responsable/chargé(e) de; (d) du; (e) au; (f) au; (g) en; (h) à; (i) dois; (j) de; (k) à; (l) peux/vais; (m) à; (n) à; (o) en; (p) au; (q) à; (r) de la; (s) à; (t) à; (u) en/au mois de; (v) en/au mois de; (w) pont; (x) prends; (y) en

2 You could have said something like:

Je suis agent d'accueil dans une agence (de voyages): je travaille chez Europa Voyage et je suis chargé(e) des voyages d'affaires.

Je travaille du mardi au samedi. Je commence à 8 h 15 (huit heures et quart), donc je dois partir de chez moi à 7 h 45 (huit heures moins le quart), et je peux partir du bureau à 17 h 45 (six heures moins le quart). Je rentre chez moi à 18 h 15 (six heures et quart).

Au printemps, en été et en automne je fais beaucoup de sports le week-end. En hiver je vais souvent au cinéma.

Pour les congés, je profite beaucoup des promotions sur l'Internet. Je ne pars pas en vacances en automne. Par contre, en mai, je fais les ponts et je prends des jours de congé en hiver et en été – comme ça, je peux partir en long week-end.

Activité 29

1
- Pierre: 02.54.69.**59.20**
- Olga: 01.45.**91.57.33**
- P&T: **04.76.02.8**5.90
- Christine: **06**.12.34.**56.78**

2
- (C'est le) zéro deux, cinquante-quatre, soixante-neuf, cinquante-neuf, vingt.
- (C'est le) zéro un, quarante-cinq, quatre-vingt-onze, cinquante-sept, trente-trois.
- (C'est le) zéro quatre, soixante-seize, zéro deux, quatre-vingt-cinq, quatre-vingt-dix.
- (C'est le) zéro six, douze, trente-quatre, cinquante-six, soixante-dix-huit.

Activité 30

1 The second speaker works at home, so doesn't have to leave in the mornings. ('*Je travaille à mon domicile.*')

2

	Matin	Fin de journée
Francis	Il part à 8 heures.	Il finit à 17 heures.
Maryse	Elle commence à 8 heures.	(On ne sait pas.)*
Lionel	Il part à 6 h 15.	Il rentre à 13 h 30.

* The second speaker does not say when she finishes: '*Cela dépend*', 'It depends.'

Activité 31

1 (a) Je regrette, mais je ne peux pas travailler ce soir.
  (b) Désolé(e), mais je pars de l'agence à six heures et demie.
  (c) Oui, je dois rentrer à 19 heures/ 7 heures du soir.
  (d) Je vais au restaurant avec Nicole.

2 Check your answers on the CD and in the transcript.

Activité 32

1 Your reply to the first e-mail could read:

Claude,

Merci de votre mail. Je suis désolé(e) mais je ne suis pas libre à 8 h 45, j'ai un rendez-vous. Vous pouvez venir à 10 h 30? Si vous préférez, je suis disponible après 17 heures.

2 In reply to the second, your message might be:

Allô, bonjour, Thérèse, c'est moi. Merci de votre courriel. Désolé(e) mais je ne peux pas aller à l'exposition le jeudi 10 – je dois aller voir des clients chez Dupont et Fils l'après-midi. Mais je suis libre à midi et on peut déjeuner au restaurant; j'aime beaucoup le Bon Viveur. Je peux finir à 11 h 30. On réserve à midi? Au revoir et à bientôt.

Activité 33

1 The correct order is (e), (d), (f), (c), (b), (a).

3 (a) income support (the minimum wage is *le SMIC*, or *salaire minimum interprofessionnel de croissance*)
  (b) managing director and chairperson (MD), chief executive officer (CEO)
  (c) 'inclusive of all taxes' (usually VAT); appears on bills, invoices, receipts etc.
  (d) VAT
  (e) French electricity company
  (f) ambulance service, paramedics

Activité 34

1 (a)

2 **9.45** rendez-vous – M. et Mme Chauvet
  10.30 courrier
  11.00 quitter bureau → ville
  13.00 déjeuner – Bon Viveur

Activité 35

1 (a) devons regarder; (b) dois – quitter; (c) peut regarder; (d) pouvez réserver

2 (a) doivent regarder; (b) doit – quitter; (c) pouvons regarder; (d) peux réserver

Did you use the correct form for the first verb in each sentence, and remember that the second verb stays in the infinitive?

Activité 36

1 (a) on leave
  (b) in/at a meeting
  (c) out of the office/away on a trip

2 Check your answers on the diary opposite.

3
- *À la poste*: 'at/for the post office'. As you saw in Session 1, *les P&T* is the acronym for the French post office, also known as *la poste*. However, people often say *la poste* or *le bureau de poste* when they mean the building.
- *Au poste*: 'on the extension/number' (***le** poste* 'extension', i.e. telephone point).

The grammatical difference between the two is the gender of the word *poste*. Nouns with two genders are unusual though. You should try to learn and use correct genders for French words, but you will usually be understood if you happen to choose the wrong one!

4 (a)–(iii), (b)–(i)

AVRIL				
23 – lundi	24 – mardi	25 – mercredi	26 – jeudi	27 – vendredi
• rendez-vous – M. et Mme Chauvet • courrier • quitter bureau → ville • déjeuner – Bon Viveur après-midi: • en réunion	• en réunion	Visite propriétés, Toulon	(Yannick – en congé)	• en déplacement

Activité 37

Check your answers on the CD and in the transcript.

Activité 38

- Denise travaille à la réception **le** lundi matin et **le** mercredi après-midi.
- Jean-Yves travaille à la réception **le** lundi matin et **le** mardi matin.
- Nicole travaille à la réception **le** lundi après-midi et **le** mercredi après-midi.
- Yannick travaille à la réception **le** mardi matin et **le** mercredi matin.

Activité 39

1 Yannick est en congé **jeudi**?
Est-ce que Yannick est en conge **jeudi**?

2 Yannick et Nicole ne travaillent pas **le samedi**.

3 J'ai une réunion/Je suis en réunion **demain matin**.

4 Élisabeth est en réunion/a une réunion **demain après-midi**.

5 Nous ne pouvons pas quitter le bureau **le matin**.

6 Élisabeth n'est jamais disponible **le vendredi après-midi**.

Activité 40

1 (a) She has decided not to go to Annecy by car.

(b) She wants Yannick to find out the times of the trains and planes.

(c) She'd like a direct flight. She hates travelling late at night (*tard la nuit*); early on Friday morning (*tôt vendredi matin*) would suit her best.

Tôt and *tard* are used to mean 'early' and 'late' without reference to any previously fixed time. As you have seen before, early or late for a previously fixed appointment would be *en avance* or *en retard.*

(d) He should call her on her mobile (*portable*).

(e) *Journée rouge* means, literally, a 'red day'. Certain days of the year

– e.g. bank holiday weekends – are designated in the media as a *journée rouge*, meaning that traffic is expected to be particularly heavy and drivers are advised to avoid travelling.

Activité 41

1 (a) Élisabeth and Yannick.
  (b) Yannick is calling with the travel information Élisabeth requested.
  (c) They mention flights at the beginning, but they mainly discuss trains, particularly the TGV.

2 (a) part; (b) devez; (c) On – à; (d) quelle; (e) de – à – est; (f) aller-retour* – pour; (g) peux – libre – a

* *un aller-retour* 'return ticket'; *un aller simple* 'single ticket'

Activité 42

on **attend**; vous **entendez**; j'**entends**; ils **vendent**; nous **attendons**; ça **dépend**

Activité 43

The following sentences show all grammatical combinations of person and verb (columns 1 and 2); you may have used items from columns 3 and 4 differently.

- Je descends à l'hôtel vendredi. *(I am staying at the hotel on Friday.)*
- Nous attendons ce soir à l'hôtel du Centre. *(We are waiting/We'll wait tonight at the Hôtel du Centre.)*
- Élisabeth et Yannick attendent des collègues demain soir. *(Élisabeth and Yannick are expecting colleagues tomorrow evening.)*
- Monsieur Dumas descend du train à la gare du Nord. *(Monsieur Dumas gets off the train at the Gare du Nord.)*
- Monsieur Dumas attend ce soir au premier étage. *(Monsieur Dumas is/will be waiting this evening on the first floor.)*
- Vous attendez un mail vendredi. *(You are expecting a mail on Friday.)*
- On descend ce soir à la réception. *(We'll go down to Reception this evening.)*
- On attend en bas à 15 heures. *(We'll be waiting/We'll wait downstairs at 3 pm.)*
- J'attends le courrier à la réception. *(I'm waiting for the post at Reception.)*

Activité 44

1
- Le premier train pour Grenoble part à quelle heure?
- Je dois changer à Lyon?
- On attend longtemps à Lyon?
- La correspondance pour Grenoble est à quelle heure?
- De Lyon à Grenoble, c'est direct?
- Un aller-retour pour Grenoble pour le 10 mai, s'il vous plaît.

In addition you might also have wished to ask:

- On arrive à Grenoble à quelle heure?

3 Check your answers on the CD and in the transcript.

4 Not quite! You are told that the train will arrive in Grenoble at **10.45**, which is four minutes earlier than shown in your timetable.

Activité 45

1 (a) The office will re-open at 9 am on Wednesday 2 May.
  (b) Yannick said the usual opening hours are 9.00–**12.00** and 14.30–18.00, whereas the sign shows the office closes for lunch at **12.30**.

2 (a)–(iii), (b)–(i), (c)–(iv), (d)–(v), (e)–(ii)

Activité 46

1 (b)

2 (a)–(iv), (b)–(vii), (c)–(i), (d)–(ii), (e)–(viii), (f)–(v), (g)–(iii), (h)–(vi)

The meanings of the infinitives are:

(a) *écrire* to write
(b) *manger* to eat
(c) *rencontrer* to meet
(d) *voir* to see
(e) *aller* to go
(f) *lire* to read
(g) *rester* to stay
(h) *envoyer* to send

3 You will have identified:
- *avez, ai, ai, avons, ai, a* – all from *avoir*;
- *suis, est* – from *être.*

4 The past-tense forms of the *-er* verbs all end in '-é'.

5 Check your answers on the guide below.

Activité 47

1 No, she didn't like it at all: '*Je n'ai pas du tout aimé cet hotel.*'

2 (a)–(ii), (b)–(i), (c)–(ii)

Activité 48

1 (a) (the hotel is *grand*), (c) (it is *juste en face du parc*), (d), (f)

2 (a) vrai; (b) faux; (c) faux; (d) vrai; (e) faux; (f) vrai; (g) vrai; (h) faux

3 (b) Élisabeth a déjeuné avec le directeur.
(c) Elle n'a pas mangé seule.
(e) Elle n'a pas visité le gymnase.
(h) Il a envoyé le programme.

Activité 49

1 (a) *déjeuné* had lunch
(b) *fait* done (NB in this case Yannick asks, '*Vous avez fait bon voyage?*', meaning 'Did you have a good trip?')
(c) *écrit* written
(d) *parlé* spoken
(e) *allé(e)* gone
(f) *vu* seen
(g) *aimé* liked
(h) *arrivé* arrived
(i) *choisi* chosen
(j) *resté(e)* stayed

2 Those which use *être* are:
(e) aller ('je **suis allée**')
(h) arriver ('le train **est arrivé**')
(j) rester ('je ne **suis** pas **restée** longtemps')

Did you notice that *allée* and *restée* were written with an extra '-e' because Élisabeth (feminine) was talking about herself? *Arrivé* relates to *le train* (masculine), so has no extra '-e'.

3 Check your answers on the CD and in the transcript.

HÔTEL	CHAMBRES	PARKING	SÉMINAIRE	RESTAURANT	FAX INTERNET
du Parc	105	✓	✓	✓	✓
Magenta	42		✓	✓	
du Centre	23	✓	✓	✓	
du Commerce	30	✓	✓		✓

Activité 50

You could have put the information together as follows:

Élisabeth, Aujourd'hui j'ai rencontré Monsieur Bailly à midi – c'est un client. J'ai écrit une lettre à Monsieur German. Je n'ai pas confirmé la réservation pour vendredi au Bon Viveur – le restaurant est fermé pour réparations. Je suis allé à la poste. J'ai envoyé l'horaire des trains aux collègues bordelais. Je n'ai pas organisé la réunion parce que Marc est en congé. Yannick.

Activité 51

Check your answers on the CD and in the transcript.

Activité 52

1 (a) (iii) *un emploi à plein temps* a full-time job

(b) (i) *un emploi à temps partiel* a part-time job

(c) (v) *faire la journée continue* to work over lunch

(d) (ii) *faire les trente-cinq heures* to do a 35-hour week

(e) (iv) *des horaires variables* flexi-time (as seen previously)

2 Yannick's working pattern is similar to Daniel's: *il a un emploi à plein temps, il fait la journée continue, il fait les trente-cinq heures.*

3 (a) Il ne travaille pas le samedi et le dimanche.

(b) Il a quarante-cinq minutes pour manger.

(c) Il reste au bureau jusqu'à 17 h 30 ou 18 heures, du lundi au jeudi.

(d) Il finit à midi le vendredi.

(e) Il aime beaucoup rencontrer des clients parce qu'il adore le contact humain.

(f) Il n'aime pas le courrier et les rapports.

(g) Il a vingt-cinq jours de congé par an.

Activité 53

1 *sur rendez-vous* by appointment

j'ai droit à I am entitled to (literally, 'I have (a) right to')

congé payé paid leave

jours de récupération days off in lieu

2 (a) Elle est secrétaire, et elle a droit à vingt-huit jours de congé par an.

(b) Elles sont professeurs, et elles ont droit à deux mois de congé par an.

(c) Nous sommes libraires, et nous avons droit à vingt-cinq jours de congé par an.

(d) Je suis mère au foyer, et je n'ai pas droit à des congés payés!

Activité 54

	Catherine	Patrick	Maryse
Travaille où?	office de tourisme	radio locale de Radio France	domicile (= chez elle)
Plein temps/temps partiel?	plein temps	plein temps	temps partiel
Congés payés?	36 jours	29 jours	0*
Autres renseignements	fait les 35 heures	jours de récupération	

* The third speaker does not have any paid leave because she works at home and is not paid when she doesn't work: '*Quand je ne travaille pas, je ne suis pas payée.*'

Activité 55

Your response will be personal to you, but here is a model answer:

> Je travaille dans une banque à plein temps. Je fais l'horaire fixe. Du lundi au vendredi je commence à 9 heures et je finis à 17 h 30. J'ai une heure à 13 heures pour déjeuner. Je mange à la cantine avec mes collègues. Je travaille quelquefois le samedi matin de 9 heures à midi. J'ai vingt-sept jours de congé payé par an, plus des jours de récupération quand je travaille le samedi.

Activité 56

1 (a) s **o** **u** v **e** n t

(b) t **o** **u** s l **e** s j **o** **u** r s

(c) q **u** **e** lq **u** **e** f **o** **i** s

(d) j **a** m **a** **i** s

(e) r **a** r **e** m **e** n t

2 Your answers to the survey will be personal to you.

3 Depending on your survey answers, you could have written:

- J'écris quelquefois des lettres à mes amis.
- J'envoie des mails à mes amis tous les jours.
- J'adresse quelquefois des cartes postales à mes collègues de travail.
- Je n'envoie jamais de fax à mes amis. *(Remember* de *not* des *after a negative.)*
- Je téléphone souvent à mes amis.
- J'envoie rarement des textos à ma famille.

Activité 57

Your answers will be along the same lines as those in Activity 56 (step 3).

Activité 58

1 (a)
- Qu'est-ce que vous avez fait au travail aujourd'hui?
- Vous êtes allé à la cantine à midi?

(b) Pascal. Il est en vacances!

2

	Patrick	Pascal	Francis
avoir une réunion	✓		
envoyer – courriels	✓		
manger – cantine			✓
organiser – production	✓		
écrire – lettres	✓		
consulter – banque par Internet		✓	

3 Your response will be personal to you, but check that you have used the *passé composé* correctly, particularly when answering in the negative. A few examples:

- J'**ai envoyé** beaucoup de courriels à mes collègues.
- Je **n'ai pas mangé** à la cantine – j'**ai déjeuné** en ville.
- Je **n'ai pas écrit** de lettres.
- Je **n'ai pas consulté** ma banque par Internet, mais j'**ai visité** le site d'une agence de voyages.

Activité 59

1 en

2 du – au – de – à

3 la/de – en *(You can say either* **la** nuit *or* **de** nuit *'by night'.)*

4 à – le

5 au – le – à

6 le

7 en – du –au

Activité 60

1 (a) aller *(to go)* allé

(b) écrire *(to write)* écrit

(c) voir *(to see)* vu

(d) lire *(to read)* lu

(e) arriver *(to arrive)* arrivé

(f) avoir *(to have)* eu

(g) envoyer *(to send)* envoyé

(h) rester *(to stay)* resté

2 aller, arriver, rester

3 (a) Élisabeth et Yannick **ont déjeuné** avec Monsieur Dumas.

(b) Monsieur Dumas **est arrivé** à l'heure.

(c) Yannick n'**a** pas **écrit** aux participants de Lyon.

(d) Il **est resté** une semaine?

(e) Je n'**ai** pas **envoyé** le programme ce matin.

(f) Tu **as vu** Sandrine au gymnase?

Activité 61

1 You could have written something like:

Je **suis arrivée** au bureau ce matin vers 7 h 30. D'abord, j'**ai rédigé** très rapidement mes rapports. J'**ai consulté** des sites Internet. J'**ai regardé** mon planning et j'**ai organisé** ma journée avant l'arrivée des clients. Mon seul regret: je n'**ai** pas **lu** les infos dans le journal au petit déjeuner! Je **suis allée** au supermarché après mon travail, à 16 h 30.

2 Based on the model above, you'll have said:

Elle **est arrivée** au bureau ce matin vers 7 h 30. D'abord, elle **a rédigé** très rapidement ses rapports. Elle **a consulté** des sites Internet. Elle **a regardé** son planning et elle **a organisé** sa journée avant l'arrivée des clients. Son seul regret: elle n'**a** pas **lu** les infos dans le journal au petit déjeuner! Elle **est allée** au supermarché après son travail, à 16 h 30.

Did you remember to change *mon/ma/mes* to *son/sa/ses*?

Activité 62

1 and 2

	Mardi	Mercredi	Jeudi	Vendredi
Élisabeth	matin/après-midi: **en déplacement**	matin: **libre** après-midi: **en déplacement**	matin/après-midi: **en congé**	matin: après-midi: **14 h: Roger 15 h 30: collègues de Marseille**
Roger		matin/après-midi: **en déplacement (rendez-vous avec des clients espagnols)**	matin/après-midi: **libre**	matin: **en réunion** après-midi: **14 h: Élisabeth**

Activité 63

1 You might have written something like:

Monsieur Lucas, Je regrette, mais je suis en déplacement demain et je suis en congé jeudi. Je suis au bureau vendredi matin: est-ce que vous êtes disponible? Je suis libre à 9 h 30 ou à 10 heures, comme vous préférez. Élisabeth Abadie

2 Your response may depend on the times you offered in the e-mail in step 1. You could have said something like:

Bonjour Sandrine, c'est Élisabeth. Je voudrais prendre rendez-vous cette semaine à propos du stage à Annecy. Vous êtes disponible? Je peux venir mercredi matin vers 10 heures ou vendredi matin, après 11 heures – comme vous préférez. Vous pouvez confirmer s'il vous plaît? Merci et à bientôt.

Activité 64

Les assistants administratifs de notre entreprise **choisissent** certaines de leurs heures de travail, mais nous **devons** tous **travailler** pendant les plages fixes. Moi, je **pars** de chez moi à 8 heures du matin mais Alexandre **part** à 9 heures. Je **peux commencer** à 8 h 30; Alexandre et Nathalie **commencent** à 9 h 30. À midi nous **prenons** quarante-cinq minutes pour déjeuner. Je **descends** à la réception avec Denise, où nous **attendons** Yannick. Je **finis** le soir à 16 h 30. Alexandre **finit** à 17 heures ou 17 h 15, mais il **travaille** quelquefois le samedi matin.

Did you remember that another verb following *devoir* or *pouvoir* must be in the infinitive?

Activité 65

Here is an example of what you might have said:

Je suis réceptionniste à l'hôtel du Parc. Je travaille à temps partiel. Je suis à l'hôtel le mercredi de 9 à 18 heures, avec une petite pause pour déjeuner, mais du jeudi au samedi je finis à midi. J'ai vingt-six jours de congé payé par an.

J'aime beaucoup mon travail. Je rencontre des clients intéressants: des Anglais, des Allemands, des Espagnols et des Américains. Je parle anglais et espagnol. Je n'aime pas envoyer des mails.

Ce matin j'ai commencé à 9 heures. J'ai rencontré des clients belges. J'ai écrit beaucoup de lettres et j'ai envoyé un fax avec un plan de la ville à Monsieur Green (c'est un client anglais). J'ai confirmé une réservation de la grande salle de séminaire pour le 17 mai. J'ai déjeuné en ville.

6

À la maison

The sixth unit introduces you to the world of housing and accommodation. You will learn firstly how to read property advertisements, and will contact estate agents and landlords in order to explain requirements, arrange viewings and discuss facilities. You will be shown around a French person's new home, discussing with her the layout of the rooms and how they are furnished. Her house-warming meal serves as an opportunity to discuss and explain recipes. Finally, unsure of the way back to your hotel afterwards, you have to ask for directions in order to find your way around town.

VUE D'ENSEMBLE

Session	Key Learning Points
1	• Describing accommodation and facilities • Reading small ads • Understanding abbreviations • Using *qui* and *que*
2	• Arranging meetings and making appointments • Using prepositions to indicate position • Pronouncing the sounds [u] and [y]
3	• Describing property layouts and rooms • Using '*Que c'est* + adjective' to express a reaction • Using verbs ending in *-ir*
4	• Talking about house layouts and furniture • Using verbs that take *être* in the *passé composé* • Expressing a sequence of events
5	• Practising what you have learned so far
6	• Understanding and giving recipes • Using the infinitive to give instructions • Using the present tense to give instructions
7	• Using the direct object pronouns *le, la, l', les* • Using *il faut* to give instructions
8	• Understanding and giving directions around town • Identifying features in a town centre • Using prepositions in directions and instructions
9	• Using negative structures with the *passé composé* • Forming past participles
10	• Practising what you have learned so far

Cultural information	Language learning tips
Les petites annonces	
	Improving your pronunciation and fluency
	Remembering verbs that take *être* in the *passé composé*
Le pont d'Avignon	
	Memorizing past participles

Session 1

Christine is looking to rent a flat with two rooms in Avignon. Her friend Élisabeth's estate agency currently has nothing to offer, so she is studying property advertisements.

Key Learning Points

- Describing accommodation and facilities
- Reading small ads
- Understanding abbreviations
- Using *qui* and *que*

Activité 1

1 Match the words and phrases relating to accommodation in the two columns below. See how many you can work out before using your dictionary.

Trouvez les équivalents.

(a) la cave	(i) to let
(b) le sous-sol	(ii) a bungalow
(c) un immeuble	(iii) the rent
(d) le loyer	(iv) a block of flats
(e) un pavillon	(v) the basement
(f) à louer	(vi) the cellar
(g) le chauffage central	(vii) a lift
(h) une salle de séjour	(viii) for sale
(i) à vendre	(ix) a bathroom
(j) charges comprises	(x) the central heating
(k) une salle de bains	(xi) charges included
(l) un ascenseur	(xii) a living-room
(m) un appartement à trois pièces principales	(xiii) a car park
(n) une chambre	(xiv) a bedroom
(o) un parking	(xv) a flat comprising three main rooms

2 Read the following advertisements and find the abbreviations for each of the words and phrases below.

Trouvez les abréviations.

IMMOBILIER

À LOUER

AVIGNON – CENTRE-VILLE Appt T2 52m², quartier calme, au 2ᵉ étage, terrasse, baies vitrées, asc. – Loyer: 650 € + eau, élec. *Tél. 04.90.08.28.96 / e-mail beaufoy002@rss.fr*

AVIGNON Appt T2 45m² – ch., s. de bains, WC, cuis. équip. – 3ᵉ étage sans asc. – loyer 600 €/m c.c. *Tél. 04.62.02.10.42 / e-mail isabelleruiz571@magadou.com*

VILLENEUVE Pavillon de caractère, T4, s/sol, parf. état, cuis. équip., 3 ch., s. de bains, WC, cave, chauf. cent., 1500m², loyer mensuel 1.100 € + charges. *Tél. 04.49.33.22.92*

À VENDRE

AVIGNON – LA BARTHELASSE Appt T3, vue Rhône, balcon, s. de séj./cuis., s. de bains, WC, 2 ch. À prox. bus, commerces. 83.200 €. *Tél. 04.86.93.79.44*

AVIGNON – RÉS. LA GRANGE Appt T3, cuis. équip., séj., 2 ch., s. de bains, WC, cave, pkg. 90.000 €. *Tél. 04.49.96.29.08*

AVIGNON – QUARTIER HALLES Appt T3 65m² dans imm. ancien, ent. rénové: cuis., séj. 20m², 2 ch., double vitrage, balcon. Toutes commodités sur place. 96.000 €. *Tél. 04.63.54.18.21*

(a) cuisine équipée

(b) ascenseur

(c) salle de bains

(d) salle de séjour

(e) appartement à trois pièces principales

(f) chambre

(g) chauffage central

(h) parking

(i) sous-sol

(j) charges comprises

(k) immeuble

3 Which of the adverts above will interest Christine, and why?

Choisissez les annonces qui vont intéresser Christine.

LES PETITES ANNONCES

In France it is very common to rent your home, and flats form a large part of the property market. Many people use 'small ads' to find somewhere, although these can be a particular challenge due to the number of abbreviations used and the succinctness of the information. It's important to know that *T2* stands for a flat which offers two main rooms other than the bathroom and kitchen; it will not normally mean that the flat has two bedrooms. So, if you find yourself looking for a place to rent or buy, it is always a good idea to check with the agent or owner. The letters 'F' or 'P' are also frequently used to mean the same as 'T'.

Activité 2

1 Christine has received an e-mail from an estate agent describing three flats available for rent. Match the extracts (i)–(iii) from her description to the three flats A, B and C shown below.

Associez les fragments de courriels aux descriptions.

(i) C'est un grand appartement que le propriétaire a rénové et équipé d'une salle de bains très moderne.

se trouve
is (located)

(ii) C'est un appartement sur deux étages qui se trouve au centre d'Avignon.

(iii) C'est un petit appartement qui n'est vraiment pas cher à louer.

A	B	C
Appartement rénové pour quatre personnes, avec trois chambres, grand séjour, terrasse sud avec jacuzzi chauffé et bouillonnant.	Appartement: une chambre avec douche, pour deux personnes et petit budget.	Appartement plein de caractère occupant avec deux étages, avec deux chambres, à 50 m de la place de l'Horloge.

2 Read the two sets of sentences in the grid below and answer the following questions.

Répondez aux questions.

(i) How would you translate *qui* and *que* in the two sentences labelled C?

(ii) Underline the words that *qui* and *que* relate to in the two sentences labelled B.

A	+	B
C'est un appartement.		L'appartement se trouve au centre d'Avignon.
C C'est un appartement **qui** se trouve au centre d'Avignon.		

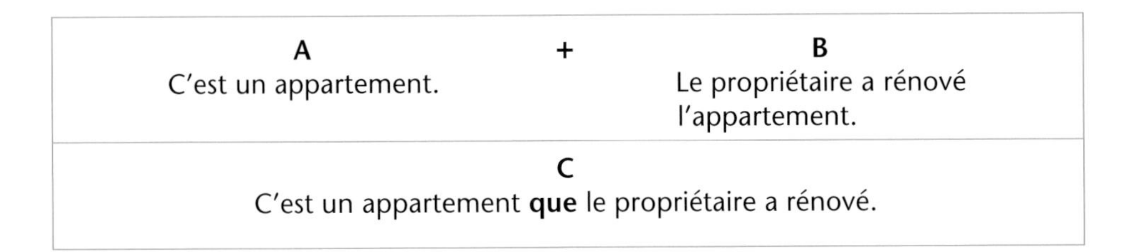

A	+	B
C'est un appartement.		Le propriétaire a rénové l'appartement.
C C'est un appartement **que** le propriétaire a rénové.		

G 1 Using 'qui' and 'que'

The words ***qui*** and ***que*** can be used as relative pronouns, to introduce additional information about something or someone. They can both relate to persons and things, and can both be translated by 'who(m)', 'which' or 'that'. The choice of *qui* or *que* depends on the grammatical relation between the words around them.

- ***Qui*** is the **subject** of the verb that follows it (and so *je, tu, il, elle* etc. cannot appear after it):

  J'ai un ami ***qui*** *habite dans ce quartier.*
  I have a friend **who** lives in this neighbourhood.

  Nous avons une maison ***qui*** *se situe dans un bon quartier.*
  We have a house **that**'s located in a nice neighbourhood.

  La maison ***qui*** *coûte très cher est plus grande.*
  The house **which** is very expensive is larger.

- ***Que*** is the **object** of the next verb (and so is followed by a subject – for example *je, tu, il, elle* – and its verb):

  J'ai pris un rendez-vous avec un collègue ***que*** *je ne connais pas encore.*
  I've arranged a meeting with a colleague **who(m)** I don't know yet.

  Je vais louer un appartement ***que*** *j'ai trouvé récemment.*
  I'm going to rent a flat **that** I found recently.

Qui and *que* are often used in the structure '*c'est* + person(s) or thing(s) + *qui/que*':

> ***C'est*** *un appartement* ***qui*** *est ensoleillé.*
>
> ***C'est*** *un architecte* ***qui*** *travaille pour la Ville de Paris.*
>
> ***C'est*** *un appartement* ***qu'****on a rénové.*
>
> ***C'est*** *une chanteuse* ***que*** *j'aime beaucoup.*

Note that *qui* is always written in full, whereas *que* drops its '-e' in front of a vowel or 'h'. Unlike their English equivalents, neither *qui* nor *que* can be omitted.

> *C'est quelqu'un que je vois rarement.*
> It's someone (who) I rarely see.
>
> *Je n'ai pas reçu le dépliant que tu m'as envoyé.*
> I haven't received the leaflet (that) you sent me.

Activité 3 Extrait 33

carrés
square

se situe
is located/ situated

un hôtel particulier
private residence

1 Listen to Extract 33 containing examples of *qui* and *que*. Which of the following statements are true or false? Correct the false ones in French.

Vrai ou faux? Corrigez les phrases qui sont fausses.

	Vrai	Faux
(a) L'appartement se situe au premier étage d'un hôtel particulier.	❑	❑
(b) L'appartement se trouve dans un quartier neuf.	❑	❑
(c) L'appartement a une surface habitable de 90 m^2.	❑	❑
(d) Le propriétaire a rénové l'appartement.	❑	❑

2 Rewrite the four original sentences from step 1, using *qui* or *que* and starting each one as shown below. The first one has been done for you.

Réécrivez les phrases avec 'qui' ou 'que'.

(a) C'est un appartement qui se situe au premier étage d'un hôtel particulier.

(b) C'est un appartement __________ .

(c) C'est un appartement __________ .

(d) C'est un appartement __________ .

Activité 4 Extrait 34

1 You telephone an estate agency to enquire about the availability of flats in Avignon. Read the transcript and try to memorize your part.

Écoutez l'extrait 34 et mémorisez votre rôle.

2 Listen again and speak in the pauses, following the prompts in English.

Parlez dans les pauses.

Activité 5

Leave a voice-mail for a friend telling her/him that you may have found a flat to rent. Describe the flat using the information in the advert below.

Enregistrez un message téléphonique avec les informations suivantes.

> Appt 50m^2 à Avignon, centre-ville.
> 2 ch., séj., cuis. équip. 500 €/m c.c.

Session 2

Christine is now viewing properties and discussing their facilities with estate agents and owners.

Key Learning Points

- Arranging meetings and making appointments
- Using prepositions to indicate position
- Pronouncing the sounds [u] and [y]

Activité 6 Extrait 35

1 Listen to Extract 35 and choose the correct summary of the content.
Choisissez le bon résumé.

(a) Christine is in an estate agency and arranges to visit two flats in Avignon. The agent agrees to meet her in the afternoon. ❑

(b) Christine is talking on the phone to an estate agent. She arranges to visit two flats and the agent agrees to meet her the following morning. ❑

(c) Christine is talking on the phone to the owner of a flat she's interested in. She and the owner agree to meet the following morning. ❑

2 Listen to Extract 35 again and indicate which of the following statements are true or false. Correct the false ones in French.
Vrai ou faux? Corrigez les phrases qui sont fausses.

	Vrai	Faux
(a) L'appartement se trouve dans le quartier de Saint-Charmand.	❑	❑
(b) Il est situé au deuxième étage d'un ancien hôtel particulier.	❑	❑
(c) C'est un appartement T4.	❑	❑
(d) Il n'y a pas d'ascenseur.	❑	❑
(e) Il y a un parking en sous-sol.	❑	❑

3 Listen again to Extract 35 and find the expressions used to ask or say the following:
Trouvez les expressions équivalentes:

(a) C'est un très joli appartement T2 qui se situe quartier de la Balance.

(b) Il y a un parking privé?

(c) Où se trouve-t-il vraiment?

4 Read the transcript for Extract 35 and note down how to say the following in French.

Trouvez l'équivalent français des expressions suivantes.

(a) Do you have a flat to let?

(b) It's on the second floor.

(c) I'd really like to come and see the flat.

(d) What time can I come and see it?

(e) I'm very busy.

(f) I'll have a look at my diary.

(g) This afternoon I have another appointment.

(h) We could make an appointment for tomorrow morning.

(i) See you tomorrow.

Activité 7 Extrait 36

disons
let's say

You answer a call from an estate agent who wants to show Christine a flat. Listen to Extract 36 and speak your part following the prompts in English.

Parlez dans les pauses suivant les indications.

Activité 8 Extrait 37

les locataires (m.pl.)
tenants

le bâtiment
building

connaissez
know

les voisins (m.pl.)
neighbours

une antenne parabolique
satellite dish

le toit
roof

1 Listen to Extract 37, where Christine is shown around a flat, and tick which facilities the flat has to offer.

Cochez les bonnes réponses.

(a) un parking ❑

(b) des places de parking ❑

(c) un arrêt de bus ❑

(d) une terrasse ❑

(e) une antenne parabolique ❑

2 Listen again to Extract 37 and tick the correct statements.

Cochez les bonnes réponses.

	Vrai	Faux
(a) An archaeologist lives in the flat above.	❑	❑
(b) Some teachers live in the flat above.	❑	❑
(c) The flat below is empty.	❑	❑
(d) Some students live in the flat below.	❑	❑

3 Read the transcript for Extract 37 and underline the words which you think tell you where the items from step 1 are located in relation to the flat or the building. Try to guess the meaning of the words without using your dictionary.

Soulignez les mots qui expliquent la position des choses.

G 2 Using prepositions to indicate position

The following prepositions can be used to indicate where someone or something is in relation to someone or something else:

*Le vase est **sur** la table.*

*Les magazines sont **sous** la table.*

*Les fleurs sont **dans** le vase.*

*Le chat est **devant** la table.*

*Le sofa est **derrière** la table.*

*Le cadre est **au-dessus du** sofa.*

*Le tapis est **au-dessous de** la table.*

*Pierre est **à côté de** Sophie.*

With *au-dessus de, au-dessous de* and *à côté de*, remember that *de* will combine with *le* and *les* to give, respectively, *du* and *des* (as seen in these examples).

Activité 9

Fill the gaps in these sentences using each of the prepositions from G2 once.

Complétez les phrases suivantes avec la bonne préposition.

1 Nous prenons les repas __________ la salle à manger.

2 Les voisins ont installé un barbecue __________ le balcon.

3 La cuisine est __________ la salle à manger.

4 __________ le mur se trouve un jardin secret.

5 Un lustre est suspendu __________ la table.

6 Trois familles habitent __________ le même toit.

7 Le bus passe __________ la porte d'entrée de l'immeuble.

8 La cave se trouve __________ notre appartement.

Activité 10

Describe orally what you can see in the picture below using the prepositions *dans, derrière, devant, sur, sous* and *à côté de*. You may like to record your description.

Décrivez l'image.

G 3 Pronouncing the sounds [u] and [y]

You have already met both sounds:

- [u] normally spelled 'ou' as in ***vous***, ***souvent***, ***sous***
- [y] normally spelled 'u' as in ***tu***, ***voiture***, ***sur***

They have one thing in common: both are pronounced with rounded lips. You should be able to manage the sound [u] without much difficulty. For the sound [y], first pronounce the sound [i] (as in *vie* or *ici*), then as doing so round your lips, pretty much as if you were giving someone a kiss. This should produce a [y].

Activité 11 Extrait 38

1 Listen to Extract 38 and in each pair of words below, select the one you hear.
Identifiez le mot que vous entendez.

(a) vous – vue
(b) tout – tu
(c) sous – sur
(d) pour – pur
(e) cour – cure
(f) nous – nu
(g) doux – du
(h) jour – jure
(i) pouce – puce
(j) loup – lu

2 Listen again and repeat the words you hear.
Écoutez et répétez.

IMPROVING YOUR PRONUNCIATION AND FLUENCY

Think about how you can take active steps to improve your pronunciation. Try to identify any **specific sounds** that you find difficult, then concentrate on these and practise them regularly. Paying attention to **intonation** can also help: it is often the key to successful communication.

- Listen back regularly to the material on the CDs that you have worked on and practise saying the sounds.
- Record yourself saying part of a track from the transcript so that you can compare it with that on the CD; listen to your recording again at a later date and re-evaluate your performance.
- When recording something you have prepared yourself beforehand, always speak from brief notes rather than from a full text written out in advance; reading a text can distort your intonation and encourage interference from your native language.

Session 3

It's time to celebrate! You and Christine are invited to a house-warming party at Juliette's new house.

Key Learning Points

- Describing property layouts and rooms
- Using '*Que c'est* + adjective' to express a reaction
- Using verbs ending in *-ir*

Activité 12

Label the rooms shown in the pictures using items in the box.

Écrivez le nom des pièces.

la salle à manger • la cuisine • la salle de bains • la chambre (à coucher) • le salon • les toilettes/WC

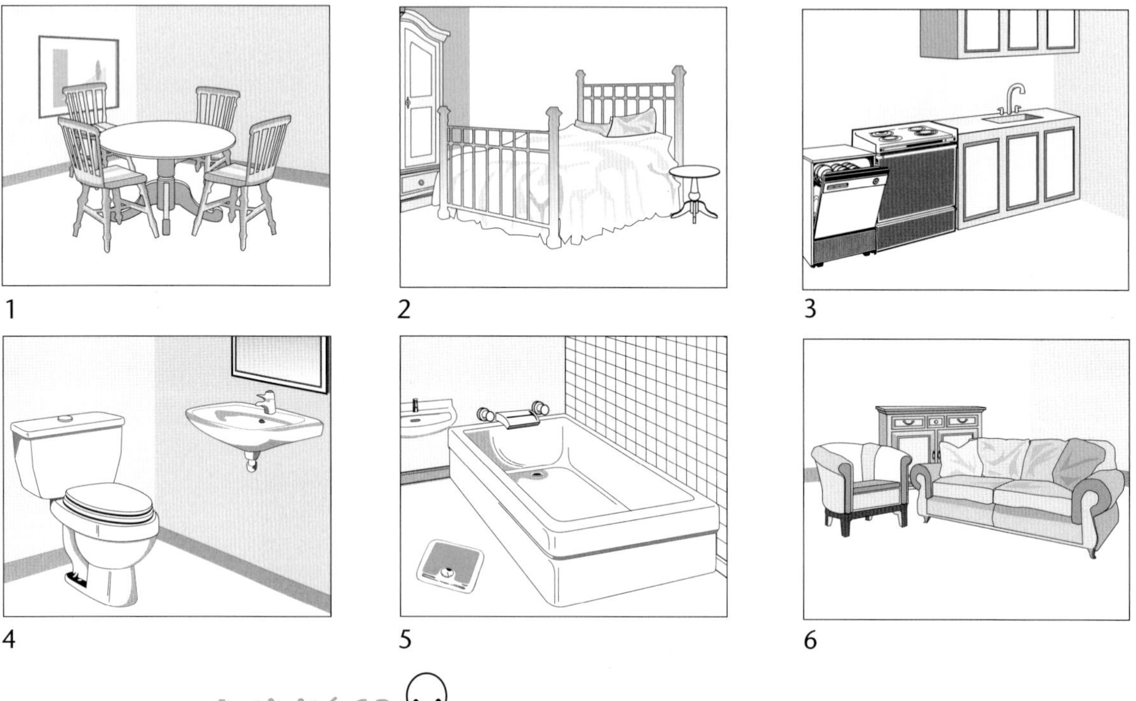

Activité 13 Extrait 39

1 Looking at the floor plan below, are there any rooms that you can immediately identify (based on size, position, etc.)?

Est-ce que vous pouvez identifier certaines pièces?

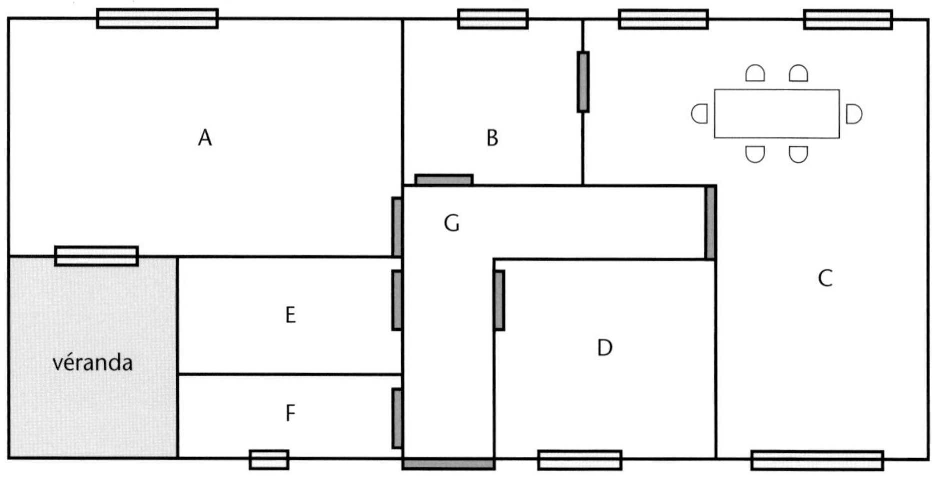

avec plaisir
I'd love to

mignon
lovely, cute

le plafond
ceiling

le couloir
the corridor

ça donne sur
that leads to

2 Listen to Extract 39, in which Juliette shows her friends around her new house. In the table below, match items (a)–(f) with the correct description (i)–(vi) according to the extract. (You won't need to understand everything you hear for this.)

Associez les informations de la première colonne aux descriptions.

(a) La chambre d'amis	… est…	(i) long.
(b) Le plafond		(ii) plutôt longue.
(c) La chambre de Juliette		(iii) carrée et petite.
(d) Le couloir		(iv) assez large.
(e) La salle à manger		(v) un peu bas.
(f) Le salon		(vi) rectangulaire.

3 Using the floor plan in step 1, listen again and identify the rooms A–G.

Écoutez l'extrait et identifiez les pièces.

4 Read the transcript for Extract 39 and underline the words Juliette uses to indicate the position of each room while showing you and Christine around. Using the floor plan if needed, check you understand their meaning.

Soulignez les mots que Juliette utilise.

5 Looking again at the transcript, find four instances of a particular language structure that Christine uses in her reactions.

Identifiez la phrase.

Activité 14

Complete each of the following sentences with one of the adjectives in the box, using '*Que c'est* + adjective'.

Complétez les phrases.

1 Vos voisins sont bruyants? __________

2 __________ , un appartement plein sud!

3 L'antenne parabolique est cassée? __________

4 __________ , un lave-vaisselle!

5 Un canapé en cuir? __________

lumineux • désagréable • confortable • embêtant • pratique

Activité 15

1 Prepare some notes describing one floor of your own home. Give the position of each room from the entrance, using words and vocabulary from Activity 13.

Décrivez un étage de votre maison.

You could start like Juliette:

Quand on entre dans ma maison, ...

2 Now record your description onto cassette.

Enregistrez votre description.

Activité 16

1 For each of the verb forms shown in bold in sentences (a)–(e), find the correct infinitive amongst those given in the box below.

Trouvez l'infinitif correspondant.

(a) Bonjour messieurs-dames! Qu'est-ce que je vous **sers**?

(b) Excusez-moi, le train pour Marseille **part** à quelle heure?

(c) Mes voisins sont provençaux, ils **viennent** d'Arles.

(d) Vous **dormez** à l'hôtel ou chez vos amis?

(e) Ça **sent** bon dans la cuisine!

sentir • servir • partir • pouvoir • tenir • courir • venir • dormir

2 Read the transcript for Extract 39 and find the verbs from step 1 as used in the extract.

Lisez la transcription et trouvez les verbes.

G 4 Using verbs ending in '-ir'

In the previous activity you came across a variety of *-ir* verbs. Here are the conjugation patterns for two types of *-ir* verbs:

venir
je **viens**
tu **viens**
il/elle/on **vient**
nous ven**ons**
vous ven**ez**
ils/elles **viennent**

dormir
je dor**s**
tu dor**s**
il/elle/on dor**t**
nous dorm**ons**
vous dorm**ez**
ils/elles dorm**ent**

Note that compounds of verbs take the same pattern as the basic verb (e.g. *venir* – ***re****venir*):

Elle **vient** lundi.

Il **revient** demain.

Activité 17

1 Read the sentences in the table below and enter the infinitive of each verb in the correct column, according to whether it follows the *venir* or the *dormir* pattern.

Complétez le tableau.

	Venir	**Dormir**
Ça **sent** bon dans la cuisine.		sentir
Tu **sers** un verre de vin à Christine?		
Je **tiens** le plateau de petits gâteaux.		
Il **part** après le repas.		
Elle **court** tous les jours.		

2 Complete the sentences below with the appropriate form of the verb shown in brackets.

Complétez les phrases.

(a) Ça __________ mauvais dans le métro. (sentir)

(b) Juliette __________ le repas. (servir)

(c) Je __________ en vacances. (partir)

(d) Tu __________ le plat. (tenir)

(e) Nous __________ sur la plage. (courir)

(f) Christine __________ une chambre d'hôtel. (retenir)

Activité 18 Extrait 40

You are at a friend's house-warming party and she shows you around her new flat. Listen to Extract 40 and speak in the pauses.

Parlez dans les pauses.

Session 4

You and Christine are still at Juliette's house. You and Juliette are discussing the furniture she has just bought from the *brocante* and the antiques shops.

Key Learning Points

- Talking about house layouts and furniture
- Using verbs that take *être* in the *passé composé*
- Expressing a sequence of events

Activité 19

1 Label these pictures with the items of furniture given in the box. Work out as many as possible before using your dictionary.

Écrivez le nom des meubles.

> un lit • un canapé• une table • une chaise • une armoire • un buffet • un tabouret • une commode • un fauteuil

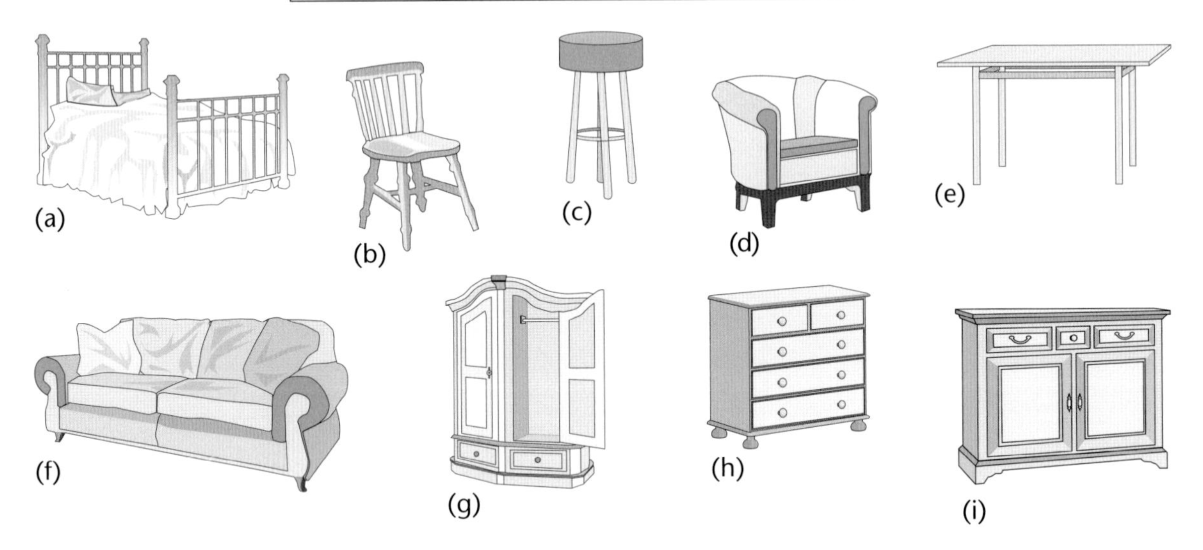

2 Complete the following sentences to indicate where you would normally find the furniture mentioned above.

Complétez les phrases.

(a) Dans la salle à manger il y a __________ .

(b) Dans la chambre à coucher on trouve __________ .

(c) Dans le salon il y a __________ .

(d) Dans la cuisine on trouve __________ .

3 Using some of the following prepositions, write a short paragraph to describe a room in your own house and its furniture.

Décrivez une pièce chez vous.

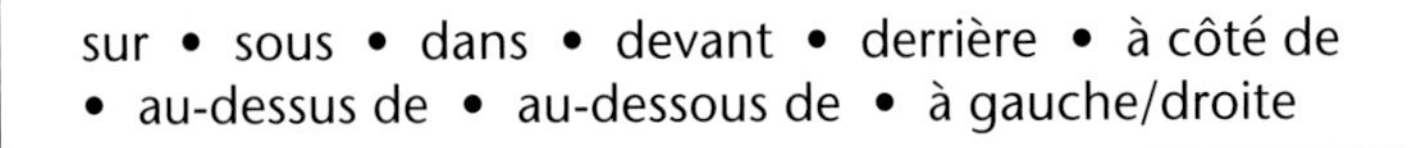

sur • sous • dans • devant • derrière • à côté de • au-dessus de • au-dessous de • à gauche/droite

Activité 20 Extrait 41

1 Listen to Extract 41 in which Juliette talks about her visit to the *brocante* and the antiques shop. Firstly, just note down in French the items of furniture she bought.

Notez le nom des meubles.

2 Listen to Extract 41 again (several times if necessary) and number the phrases below in the order you hear them.

Numérotez les phrases dans l'ordre de l'extrait.

(a) … puis je suis montée au premier étage…

(b) Je suis descendue au rez-de-chaussée…

(c) Quand je suis entrée dans ce magasin…

(d) Je suis sortie du magasin…

(e) Je suis restée quelques minutes au rez-de-chaussée…

(f) Finalement, je suis retournée au premier étage…

3 Put the verbs in the following box into pairs of opposites.

Trouvez les opposés.

Exemple

naître/mourir *(to be born/to die)*

entrer • aller • partir • naître • monter • venir • sortir • descendre • arriver • mourir

4 In the picture below, the arrows (a)–(f) indicate verbs of movement. Label each arrow with the relevant verb from step 2, according to the information provided by Juliette.

Écoutez et complétez.

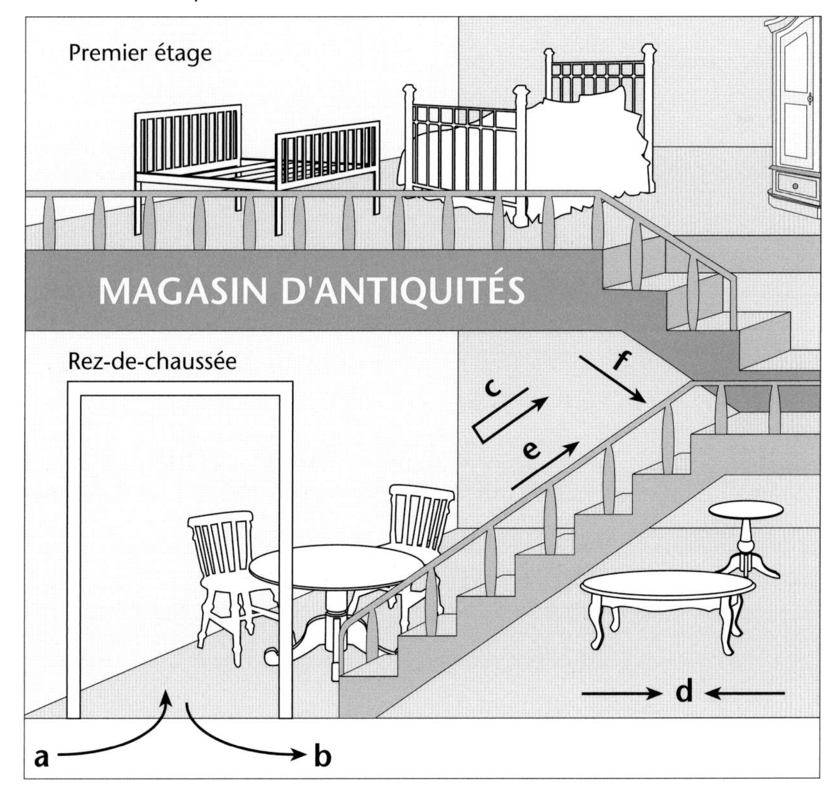

G 5 Using verbs that take 'être' in the 'passé composé'

In Extract 41 you heard:

*Tu **as acheté** tous tes meubles dans le même magasin?*

As you saw in Unit 5 (G7), the *passé composé* usually consists of a form of ***avoir*** in the present tense + the **past participle** of the main verb.

However, for a few verbs, the structure is ***être*** in the present tense + the **past participle** of the main verb.

This is the case for the following verbs and their compounds: ***naître, mourir, entrer, sortir, arriver, partir, aller, venir, monter, descendre, rester, retourner, passer, tomber, devenir***.

infinitif –	participe passé
naître	né
mourir	mort
sortir	sorti
partir	parti
venir	venu
descendre	descendu

For example:

*Je **suis entrée** dans tous les magasins de brocante...*

*Je **suis descendue** au rez-de-chaussée...*

*L'antiquaire **est devenu** un peu impatient.*

As these sentences show, the past participle of verbs that take *être* in the *passé composé* behaves like an adjective and agrees with the subject:

***L'antiquaire** est resté au rez-de-chaussée du magasin.*

***Les clients** sont entré**s** dans le magasin.*

***Juliette** est allé**e** à Avignon dans le quartier des brocanteurs.*

***Christine et Juliette** sont retourné**es** ensemble au magasin d'antiquités.*

Activité 21

1 The following sentences contain verbs that take *être* in the *passé composé*. Rewrite them in the *passé composé*, remembering to make any necessary agreements.

Mettez les phrases suivantes au passé composé.

(a) Juliette entre dans le magasin.
(b) Bernard arrive tôt.
(c) Les magasins restent ouverts tard.
(d) Elles partent lundi.

2 Do the same with the sentences below, which contain verbs taking either *avoir* or *être* in the *passé composé*.

Mettez les phrases suivantes au passé composé.

(a) Un client entre dans le magasin.
(b) Christine et Juliette regardent un film ensemble.
(c) Le chat tombe du toit.
(d) Qu'il devient grand, ton fils!

3 Look at the cartoon story below and, using the information in the prompts, describe Marcel's actions in the *passé composé*.

Regardez et décrivez la scène au passé composé.

Exemple

Hier, Marcel **est sorti** *de* chez lui vers 11 heures. Il...

(a)

- sortir (11 h)
- regarder les vitrines (un quart d'heure)
- réflechir un moment

(b)

- entrer

(c)

- discuter
- rester (10 mn)

(d)

- sortir (11 h 25)

Activité 22

Read the transcript for Extract 41 again and find the French equivalents for the following words.

Trouvez les équivalents français.

1 firstly
2 then
3 finally

G 6 Expressing a sequence of events

To express a sequence of events, you can use the following linking words or *mots de liaison*:

- start with: ***d'abord, tout d'abord, au départ***
- in the middle, use: ***(et) ensuite/après/puis***
- finish with: ***enfin/finalement***

Activité 23

Use the linking words from G6 to sequence Marcel's actions in the account you wrote in Activity 21 (step 3).

Utilisez les mots de liaison.

Activité 24 Extrait 42

Listen to Extract 42 and take your part in the dialogue as one of Valérie's friends.

Écoutez et parlez dans les pauses.

REMEMBERING VERBS THAT TAKE 'ÊTRE' IN THE 'PASSÉ COMPOSÉ'

As with other learning points, there are various ways of remembering verbs that take '*être* + past participle'. You can learn them, for instance, in pairs of opposites as presented in Activity 20. Alternatively, here is a visual aid you could use:

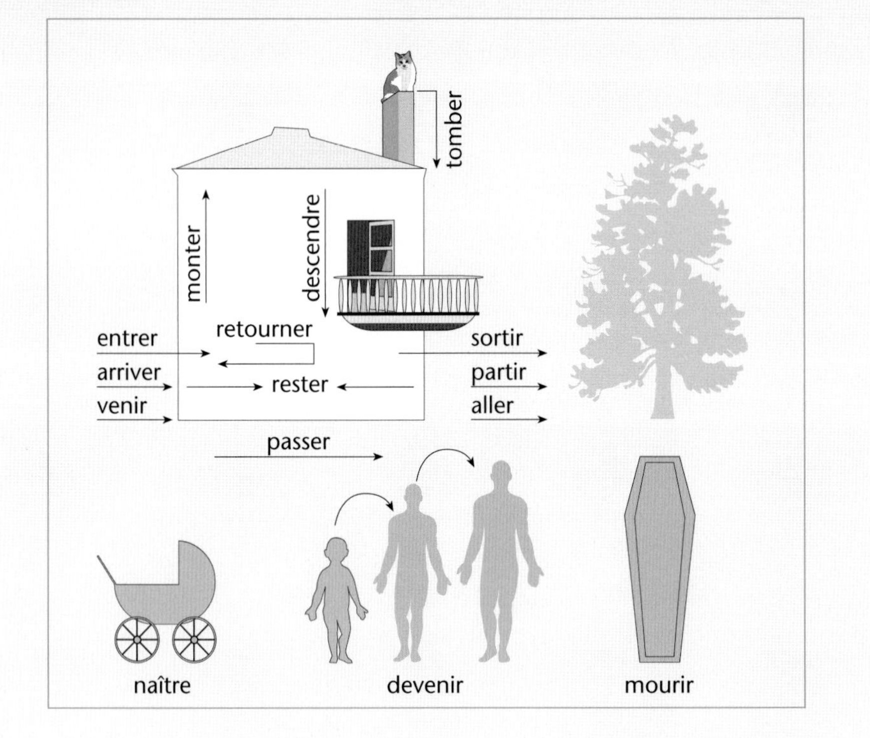

Activité 25

Look at the drawing above and make up a story of 100–150 words based around it. Use as many of the verbs as possible and use linking words such as *d'abord* to sequence your story.

Inventez une histoire pour accompagner le dessin.

Session 5

In this session you will revise talking about property and accommodation, and using the *passé composé,* prepositions and *(c'est ...) qui/que.*

Activité 26 Extrait 43

un snack *breakfast bar (rare)*

Listen to Extract 43, in which an estate agent tells her client about an available property. Tick which of the following rooms or features are mentioned.

Cochez les bonnes réponses.

1 un bureau ❑
2 un cellier ❑
3 deux chambres ❑
4 une cuisine à l'américaine ❑
5 une double exposition ❑
6 un hall d'entrée ❑
7 un garage ❑
8 un grenier ❑
9 une salle à manger ❑
10 une salle de bains ❑
11 une salle de séjour ❑
12 un salon ❑

Activité 27 Extrait 43

Listen again to Extract 43. Which of the following statements is accurate?
Cochez les bonnes réponses.

1 L'appartement est:
(a) un F2; ❑
(b) un P3; ❑
(c) un T3. ❑

2 Il comprend:
(a) un séjour et deux chambres; ❑
(b) un salon et trois chambres; ❑
(c) un séjour et une chambre. ❑

3 Il a aussi:
(a) un balcon et une cuisine à l'américaine; ❑
(b) un sauna et un hall d'entrée; ❑
(c) un hall d'entrée et une cuisine à l'américaine. ❑

4 Il a une superficie de:
(a) 70 m^2; ❑
(b) 80 m^2; ❑
(c) 90 m^2. ❑

Activité 28

Fill the gap in each of the following sentences with an appropriate preposition.

Complétez les phrases suivantes.

1 Jeanne a placé une couverture __________ le lit.

2 Le taxi attend __________ la porte.

3 Le suspect a disparu __________ un arbre.

4 Il y a un parking __________ l'immeuble.

5 Richard porte son sac __________ le bras.

6 Le cimetière est __________ l'église.

7 Un avion a volé __________ la ville.

8 Cécile est entrée __________ la salle à manger.

Activité 29 Extrait 44

1 In Extract 44, Corinne answers some questions. Listen and choose the correct statements.

Cochez les informations correctes.

(a) Corinne habite Grenoble. ☐

(b) Corinne aime beaucoup Grenoble mais son mari n'aime pas du tout cette ville. ☐

(c) Ils habitent au centre-ville. ☐

(d) Ce matin Corinne a dormi. ☐

(e) Hier soir, elle est allée au cinéma avec son mari. ☐

2 Fill the gaps with the missing words, listening again to the extract if necessary.

Complétez les phrases suivantes.

(a) C'est une ville __________ mon mari aime, mais __________ je n'aime pas du tout.

(b) C'est un quartier __________ est un peu loin du centre.

(c) Ce matin j'ai __________ ! J'ai __________ la grasse matinée.

(d) Je suis __________ en balade en voiture.

(e) Je suis __________ avec des amis.

Activité 30 Extrait 45

1 Listen to Extract 45, in which Agnès describes her house in the quartier du Coudoulet. According to what you hear, select the correct answers in the following table.

Choisissez les informations correctes.

Type d'habitation	appartement	pavillon	maison à un étage
Mode	en location	en vente	
Budget	petit	moyen	gros

2 Listen again and list (in French) the rooms mentioned by Agnès and where they are located in the house.

Faites la liste des pièces.

3 What are the two reasons given by Agnès for liking the quartier du Coudoulet?

Pourquoi est-ce que Agnès aime son quartier?

4 Using all the information you have gathered in the previous three steps, write a short paragraph in French (sixty to seventy words) describing Agnès' house to potential tenants.

Décrivez la maison d'Agnès.

Activité 31

Imagine you went shopping last week. Working from notes, give a short oral account (up to one minute) of what you did, using for example the following verbs in the *passé composé*.

Écrivez un paragraphe au passé composé.

aller • rencontrer • entrer • voir • choisir • acheter • partir • retourner • rentrer

FAITES LE BILAN

Now that you have finished the first five sessions of this unit, you should be able to:

- Talk about property, facilities, rooms and furniture ❑
- Read small ads and understand abbreviations ❑
- Arrange meetings and make appointments ❑
- Use *qui/que* to talk about people and things ❑
- Use prepositions such as *sur, devant, à côté de* to indicate position ❑
- Pronounce [u] and [y] ❑
- Use *-ir* verbs such as *dormir* and *venir* ❑
- Use the *passé composé* with *être* ❑
- Use linking words to express a sequence of events ❑

Tick each box when you think you can do each point. If you are not sure about something, go back and revise it in the appropriate session.

Session 6

Juliette is a busy woman and not very keen on cooking. One of her friends has bought her a house-warming present: a book of very simple recipes.

Key Learning Points

- Understanding and giving recipes
- Using the infinitive to give instructions
- Using the present tense to give instructions

Activité 32

1 Read the following recipe and find the equivalents of the instructions below.
Lisez la recette et trouvez les équivalents.

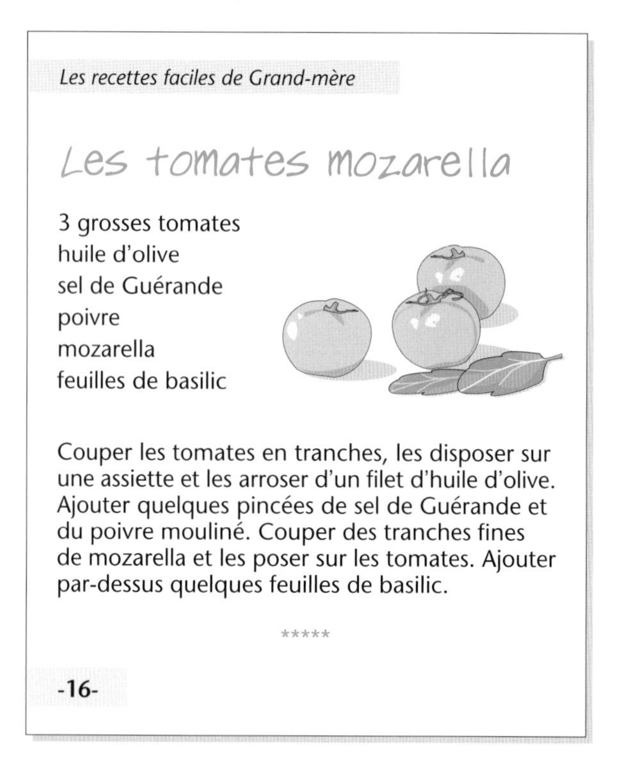

Les recettes faciles de Grand-mère

Les tomates mozarella

3 grosses tomates
huile d'olive
sel de Guérande
poivre
mozarella
feuilles de basilic

Couper les tomates en tranches, les disposer sur une assiette et les arroser d'un filet d'huile d'olive. Ajouter quelques pincées de sel de Guérande et du poivre mouliné. Couper des tranches fines de mozarella et les poser sur les tomates. Ajouter par-dessus quelques feuilles de basilic.

*****

-16-

(a) add a few pinches of salt

(b) slice the tomatoes

(c) place on a plate

(d) drizzle with olive oil

2 Now underline all the verbs in the infinitive form in the recipe.
Soulignez les infinitifs.

G 7 Using the infinitive to give instructions

In French, formal instructions in recipe books, manuals, official notices etc. tend to be expressed using a verb in the infinitive form:

> ***Casser** les œufs dans un saladier.*
> Break the eggs into a salad bowl.
>
> ***Appuyer** sur la touche verte.*
> Press the green key.
>
> *En cas de danger, **briser** la vitre.*
> In an emergency, break the glass.

Other verbs used in the context of cooking include ***ajouter*** (to add), ***mélanger*** (to stir/to mix), ***verser*** (to pour), ***égoutter*** (to drain), ***conserver*** (to keep).

Some expressions use double infinitives with *faire* and *laisser*:

> ***Faire cuire** les pâtes.* Cook the pasta.
>
> ***Faire revenir** les oignons.* Brown the onions.
>
> ***Faire bouillir** l'eau.* Boil the water.
>
> ***Faire cuire** la pâte **au four**.* Bake the dough.
>
> ***Laisser cuire** le mélange trente minutes puis **laisser refroidir**.*
> Cook the mixture for thirty minutes then let it cool down.

Activité 33 Extrait 46

1 Here are another two recipes. Fill the gaps with verbs in the infinitive from the box beneath each one. (Each infinitive is listed the correct number of times.)

Complétez les recettes.

Les pâtes à l'ail

250 g de pâtes
3 gousses d'ail
huile d'olive
2 pincées de piment de Cayenne

(a) _________ les pâtes dans une grande casserole. (b) _________ l'ail en petits morceaux. (c) _________ dans la poêle avec de l'huile d'olive. Quand les pâtes sont cuites, (d) _________ soigneusement. (e) _________ les pâtes dans la poêle. (f) _________ le piment. (g) _________ bien chaud.

servir • faire cuire • faire revenir • égoutter • ajouter • couper • faire revenir

Le gâteau au yaourt

1 yaourt	1 sachet de levure
3 mesures de farine	1 mesure d'huile d'olive
3 mesures de sucre en poudre	3 œufs

(a) __________ le yaourt dans un saladier et (b) __________ le pot comme mesure. (c) __________ la farine et le sucre et (d) __________ . (e) __________ la levure, l'huile et les œufs. Bien (f) __________ . (g) __________ la pâte dans un moule et la (h) __________ à cuire dans un four préchauffé pendant trente minutes.

> verser • ajouter • mélanger • mettre • verser • mélanger • mettre • conserver

2 Listen to Extract 46, where Pierre and Agnès are explaining the recipes from step 1. What do they use instead of the infinitives *faire cuire, couper, faire revenir* (Pierre) and *prendre, mettre, conserver, mélanger* (Agnès)?

Écoutez l'extrait et répondez à la question.

G 8 Using the present tense to give instructions

In a more informal context, the present tense (with *tu* or *vous* as appropriate) is used to explain a recipe or procedure, or to describe how something works:

> ***Tu prends*** *un moule à tarte,* ***tu verses*** *de l'huile d'olive dans le moule...*
> Take a flan dish, pour some olive oil into the dish...
>
> *Pour allumer le portable,* ***vous appuyez*** *sur la touche verte.*
> To switch on the mobile, press the green key.

Activité 34 Extrait 47

This is how Claudine explains a *tarte Tatin* recipe to Juliette. Fill the gaps with the *tu* form of the verb shown, as in the examples already completed, then listen to Extract 47 for any you may have missed.

Complétez la recette.

Tu **achètes** (acheter) une pâte feuilletée. Ensuite __________ (prendre) un moule à tarte, __________ (verser) de l'huile d'olive, et __________ (étaler) cette huile dans le moule. Ensuite __________ (prendre) des tomates, tu les coupes en tranches, **tu mets** (mettre) tes tomates sur le fond du moule. __________ (prendre) des oignons, __________ (faire) la même chose avec des oignons que __________ (couper) sur les tomates. Ensuite __________ (mettre) du sel, du poivre et __________ (prendre) la pâte à tarte et __________ (recouvrir) ton plat avec. __________(enfourner), et __________ (laisser cuire) trente minutes. Les tomates, les oignons sont fondus, ta pâte est dorée et tu as une Tatin de tomates que __________ (retourner) sur un plat.

Activité 35

1 Look at the transcripts for Extracts 46 and 47. Agnès and Claudine use *que* twice each. Which noun(s) does *que* relate to in each case?

Répondez à la question.

2 Write down the instructions for your favourite 'quick and easy' recipe, to send to one of your friends. Use the *tu* form of the present tense for the verbs. Try to use *que* once or twice.

Écrivez votre recette préférée.

3 Now explain the same recipe orally, this time as if to a group of friends. You may wish to record yourself speaking.

Expliquez la recette à des amis.

Session 7

The house-warming meal is now ready and Juliette asks Christine to lay the table.

Key Learning Points

- Using the direct object pronouns *le, la, l', les*
- Using *il faut* to give instructions

Activité 36 Extrait 48

1 Match the following French words to their English equivalents. Work out as many as possible before using a dictionary.

Trouvez les équivalents.

(a) une fourchette	(i) a bowl
(b) un bol	(ii) a knife
(c) la nappe	(iii) a spoon
(d) un verre	(iv) a fork
(e) les couverts	(v) the tablecloth
(f) une cuillère	(vi) a napkin
(g) une serviette	(vii) the cutlery
(h) un couteau	(viii) the cupboard
(i) le placard	(ix) a glass
(j) le tiroir	(x) the drawer

à carreaux *checked, chequered*

2 Listen to the dialogue in Extract 48. Do the two pictures below represent the final table layout? Explain your answer in French, using the example sentences as a model.

Est-ce que ces deux images correspondent au dialogue? Justifiez votre réponse.

Exemple

(a) (Oui/non), chez Juliette il y a six personnes autour de la table et la nappe est rayée.

(b) (Oui/non), chez Juliette la fourchette est à droite de l'assiette, le couteau est à gauche de l'assiette et la serviette est dans le verre.

Activité 37

Read the recipe for *les tomates mozarella* in Activity 32 again. What do you think *les* means in the phrases *les disposer*, *les arroser* and *les poser*?

Que veut dire le mot 'les' dans ces phrases?

G 9 Using the direct object pronouns 'le, la, l', les'

The words *le, la, l', les* can be used as pronouns to avoid repetition of a noun. In this usage they generally stand before the verb they relate to.

- *Le* stands for a masculine singular noun:
  - *Mets **le couvert**, s'il te plaît.*
  - *On **le** met pour combien de personnes?*
    How many shall I lay **it** for?
- *La* stands for a feminine singular noun:

  *Tu prends **la grande nappe** à carreaux. Tu vas **la** trouver dans le premier tiroir du buffet.*
  ... You'll find **it** in the first drawer of the sideboard.

- *Le* and *la* become *l'* in front of a vowel sound:

  – ***Ton vase*** *sur la table, je l'enlève?*

  – *Oui, tu l'enlèves et tu* ***le*** *poses sur la petite table du salon.*
  Yes, remove **it** and put **it** on the small table in the lounge.

  – *Vous aimez* ***ma tarte*** *aux pommes?*

  – *Je l'adore!*
  I love **it**!

- *Les* stands for a plural noun, or for two or more nouns:

  Tu prends ***des tomates*** *et tu* ***les*** *coupes en tranches.*
  Take some tomatoes and slice **them**.

  – *Où est-ce que je mets* ***le vase*** *et* ***la photo*** *de votre chat?*

  – *Vous* ***les*** *mettez sur le buffet, s'il vous plaît.*

In negative sentences, the pronoun remains in front of the verb, with the *ne ... pas* structure around both:

Et la serviette, ***je ne la mets pas*** *dans l'assiette?*
And what about the napkin – don't I put it on the plate?

In imperative sentences, the pronoun comes after the verb and is joined to it with a hyphen:

Mettez-la *dans le verre. (la serviette)*
Put it in the glass.

Placez-les *à droite et à gauche de l'assiette. (les couverts)*
Put them to the right and left of the plate.

In negative imperative sentences, the pronoun remains in front of the verb, both of them inside *ne ... pas*:

Non, ***ne le mettez pas*** *là, il est trop fragile.*
No, don't put it there, it's too fragile.

Activité 38 Extrait 48

1 Look at the transcript for Extract 48. Underline the direct object pronouns and say which noun(s) they stand for.

Soulignez les pronoms objets directs.

2 Listen to Extract 48 again whilst looking at the transcript. 'Shadow' Christine's part. Then do the same with Juliette's part.

Écoutez l'extrait et parlez en même temps.

3 Without looking at the transcript this time, write down five examples that you remember from the dialogue of the use of *le, la, l'* or *les* as direct object pronouns.

Écrivez cinq exemples.

Activité 39 Extrait 49

Listen to Extract 49 and answer the questions according to the prompts.

Répondez aux questions suivant les indications.

Activité 40 Extrait 50

1 Which three words in the following box are clearly **not** related to information technology?

Identifiez les mots.

un site • se connecter • la cave • cliquer sur • l'icône • l'hébergement • une recherche sélective • des mots-clés • taper • l'immobilier

deux fois
twice
montre-moi
show me

2 Listen to Extract 50, where Francis explains how to find a site on the Internet. Number the instructions below in the order he gives them.

Numérotez les instructions dans l'ordre de l'extrait.

(a) Il faut faire une recherche plus sélective.

(b) Il faut attendre un peu.

(c) Il faut écrire dans ce cadre 'Provence'.

(d) Il faut cliquer deux fois sur l'icône.

(e) Il faut se connecter à Internet.

(f) Il faut choisir deux mots-clés.

G 10 Using 'il faut' to give instructions

When giving instructions to his friend in Extract 50, Francis used the structure '*il faut* + infinitive'. Here are some more examples:

> *Pour appeler quelqu'un sur ton portable* ***il faut taper*** *le numéro, et après,* ***il faut appuyer*** *sur la touche verte.*
> To call someone on your mobile you have to key in the number, and then you have to press the green button.

When Francis' friend asked him what you have to do to find a website, she used the question form '*Qu'est-ce qu'il faut faire pour…* + infinitive'.

> ***Qu'est-ce qu'il faut faire pour trouver*** *un site sur l'Internet?*
> What do you have to do to find a site on the Internet?

Similarly:

> ***Qu'est-ce qu'il faut faire pour appeler*** *quelqu'un sur ton portable?*
> What do you have to do to call someone on your mobile?

Activité 41

Write three short dialogue exchanges (sixty to seventy words in total) where one person asks for instructions and the other gives them. Use the vocabulary given in brackets.

Écrivez trois dialogues.

- **Dialogue 1:** how to call the fire brigade (*les pompiers; le 18*)
- **Dialogue 2:** how to find a flat (*petites annonces, journal, agence immobilière*)
- **Dialogue 3:** how to buy antique furniture (*meubles anciens; antiquaire/ brocanteur*)

Session 8

The party at Juliette's was a great success and now it's time for you and Christine to walk back to your hotel. As you don't know the way from her house in the rue du Limas, her friend Brice gives you some directions.

Key Learning Points

- Understanding and giving directions around town
- Identifying features in a town centre
- Using prepositions in directions and instructions

Activité 42 Extrait 51

1 Listen to Extract 51 and look at the map opposite. Starting at Juliette's house (marked with a cross in column D), trace the route to your hotel described by Brice. Then enter the rue Molière on the map and mark the location of the *hôtel de ville.*

Trouvez votre chemin.

L'Opéra, Avignon

L'hôtel de ville, Avignon

2 Look at the expressions (a)–(d) below. Listen to Extract 51 again and every time you hear one of them, write down the verb or verbs that follow it.

Écrivez les verbes.

(a) pour

(b) il faut

(c) vous devez

(d) vous ne pouvez pas

G 11 Giving directions around town

As you heard in Extract 51, directions can be given in various ways:

- with the present tense:

  Vous sortez *d'ici et* ***vous allez*** *à droite.*

  Vous ***descendez*** *la rue du Limas.*

- with the imperative:

  Continuez *tout droit.*

  Prenez *à droite.* (Turn right.)

- with *il faut* or *vous devez* + an infinitive:

  Il faut prendre *à gauche la rue Molière.*

  Vous devez passer *devant l'Opéra.*

Other useful verbs for giving directions include ***suivre*** (to follow), ***longer*** (to walk along), ***emprunter*** (to take), ***passer*** (to go past), ***remonter*** (to go up).

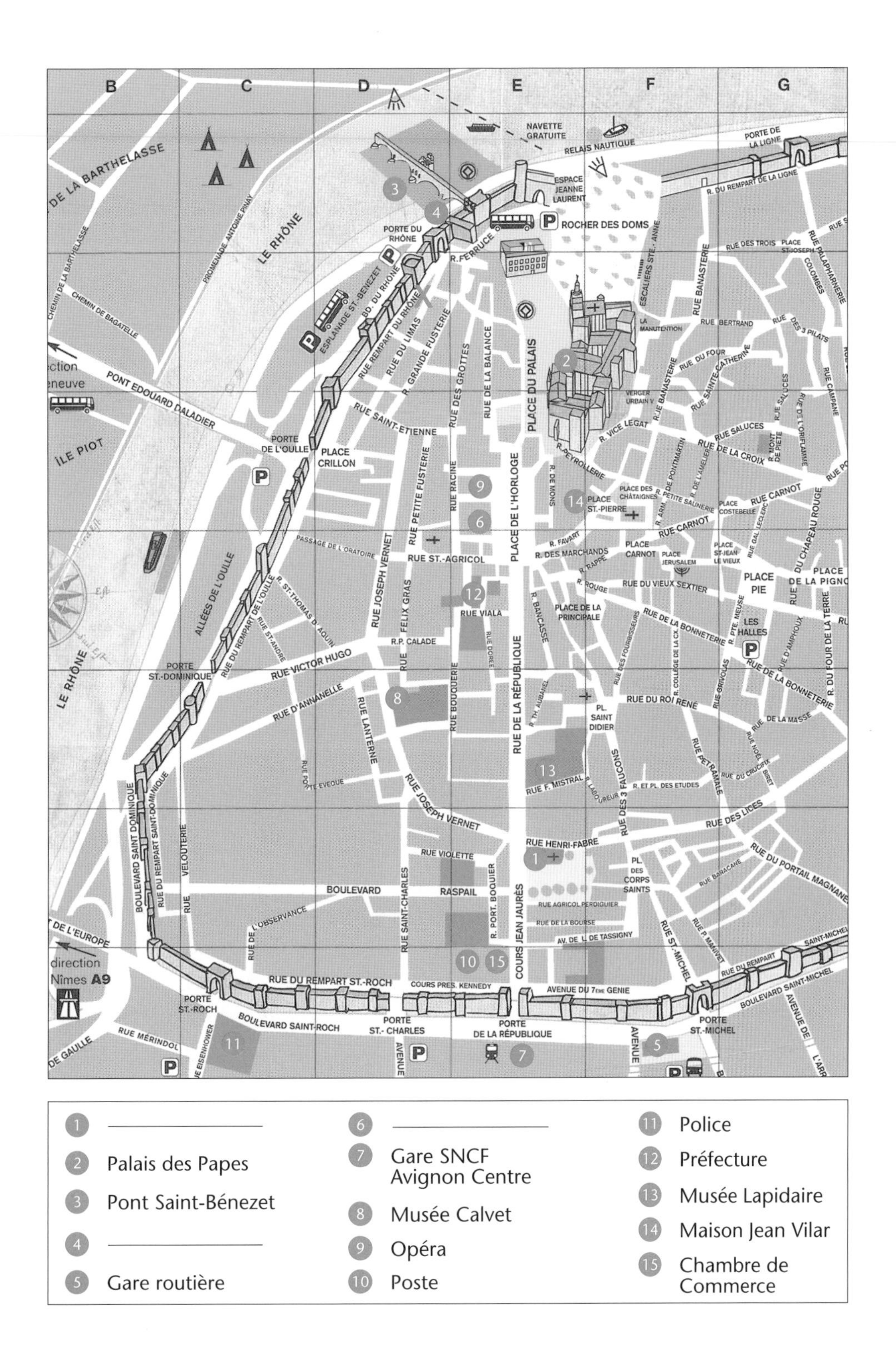
B
C
D
E
F
G
NAVETTE GRATUITE
RELAIS NAUTIQUE
PORTE DE LA LIGNE
R. DU REMPART DE LA LIGNE
ESPACE JEANNE LAURENT
ROCHER DES DOMS
PORTE DU RHÔNE
R. FERRUCE
ESCALIERS STE.-ANNE
RUE BANASTERIE
RUE DES TROIS
PLACE ST-JOSEPH
COLOMBES
RUE PALAPHARNERIE
LA MANUTENTION
RUE BERTRAND
RUE DES 3 PILATS
LE RHÔNE
PROMENADE ANTOINE PINAY
CHEMIN DE LA BARTHELASSE
CHEMIN DE BAGATELLE
DE LA BARTHELASSE
ESPLANADE ST.-BENEZET
BD. DU RHÔNE
RUE REMPART DU RHÔNE
RUE DU LIMAS
R. GRANDE FUSTERIE
RUE DES GROTTES
RUE DE LA BALANCE
PLACE DU PALAIS
RUE DU FOUR
RUE SAINTE-CATHERINE
R. BANASTERIE
VERGER URBAIN V
RUE CAMPANE
RUE DE L'ORIFLAMME
RUE SALUCES
MONT DE PIETE
direction Villeneuve
PONT EDOUARD DALADIER
ILE PIOT
RUE SAINT-ETIENNE
PORTE DE L'OULLE
PLACE CRILLON
RUE RACINE
R. PETITE FUSTERIE
PLACE DE L'HORLOGE
R. DE MONS
R. VICE LEGAT
R. PEYROLLERIE
RUE DE LA CROIX
PLACE DES CHÂTAIGNES
PLACE ST.-PIERRE
R. PETITE SAUNERIE
R. DE PONTMARTIN
RUE CARNOT
PLACE COSTEBELLE
RUE DU CHAPEAU ROUGE
PASSAGE DE L'ORATOIRE
RUE ST.-AGRICOL
R. FAVART
R. DES MARCHANDS
RAPPE
PLACE CARNOT
PLACE JERUSALEM
PLACE ST-JEAN LE VIEUX
ALLÉES DE L'OULLE
R. ST-THOMAS D'AQUIN
RUE DU REMPART DE L'OULLE
RUE ST-ANDRÉ
RUE JOSEPH VERNET
FELIX GRAS
RUE VIALA
R. ROUGE
RUE DU VIEUX SEXTIER
PLACE PIE
PLACE DE LA PIGNOTTE
PLACE DE LA PRINCIPALE
R. BANCASSE
RUE DE LA BONNETERIE
LES HALLES
RUE DU FOUR DE LA TERRE
R.P. CALADE
RUE DORÉE
RUE VICTOR HUGO
PORTE ST.-DOMINIQUE
LE RHÔNE
RUE D'ANNANELLE
RUE LANTERNE
RUE BOUQUERIE
RUE DE LA RÉPUBLIQUE
RUE DES FOURBISSEURS
R. COLLÈGE DE LA CX.
RUE DU ROI RENÉ
PL. SAINT DIDIER
RUE DE LA MASSE
RUE PETRAMALE
RUE DU CRUCIFIX
RUE PÈTE EVEQUE
RUE JOSEPH VERNET
RUE F. MISTRAL
R. LABOUREUR
RUE DES 3 FAUCONS
R. ET PL. DES ETUDES
RUE DES LICES
RUE HENRI-FABRE
RUE VIOLETTE
BOULEVARD RASPAIL
PL. DES CORPS SAINTS
RUE DU PORTAIL MAGNANEN
BOULEVARD SAINT DOMINIQUE
RUE DU REMPART SAINT-DOMINIQUE
RUE VELOUTERIE
RUE DE L'OBSERVANCE
RUE SAINT-CHARLES
R. PORT. BOUQUIER
COURS JEAN JAURÈS
RUE AGRICOL PERDIGUIER
RUE DE LA BOURSE
AV. DE L DE TASSIGNY
RUE ST.-MICHEL
RUE DU REMPART SAINT-MICHEL
BOULEVARD SAINT-MICHEL
DE L'EUROPE
direction Nîmes A9
RUE DU REMPART ST.-ROCH
COURS PRES. KENNEDY
AVENUE DU 7ème GENIE
PORTE ST.-ROCH
BOULEVARD SAINT-ROCH
PORTE ST.- CHARLES
PORTE DE LA RÉPUBLIQUE
PORTE ST.-MICHEL
RUE MÉRINDOL
DE GAULLE
RUE EISENHOWER
AVENUE
1 ___________
2 Palais des Papes
3 Pont Saint-Bénezet
4 ___________
5 Gare routière
6 ___________
7 Gare SNCF Avignon Centre
8 Musée Calvet
9 Opéra
10 Poste
11 Police
12 Préfecture
13 Musée Lapidaire
14 Maison Jean Vilar
15 Chambre de Commerce

Activité 43 Extrait 52

1 Match the French words to their equivalents in English.
Trouvez les équivalents.

(a) la place	(i) city walls
(b) le carrefour	(ii) avenue
(c) les feux	(iii) garden
(d) l'avenue	(iv) steps
(e) la porte	(v) traffic lights
(f) le pont	(vi) gate
(g) les remparts	(vii) square
(h) les escaliers	(viii) crossroads
(i) le jardin	(ix) bridge

2 Listen to Extract 52, which is a typical dialogue between a tourist and a passer-by. Note down the instructions you hear according to their structure, as follows.

Notez les instructions.

Present tense	Imperative	*Il faut* + infinitive

3 Listen again to Extract 52. Look at the map of Avignon in Activity 42 and answer the following questions.

Écoutez l'extrait et répondez aux questions.

(a) In the first part of the extract, the tourist asking the question is at the train station. Follow the directions given by the passer-by and find the map number for the main tourist information office.

(b) In the second part, the tourist is given directions to the other tourist office. Follow them and find where this branch is.

(c) Why does the tourist have to go to the other branch?

LE PONT D'AVIGNON

The Pont Saint-Bénezet was built in the twelfth century, but parts of it were washed away by violent floods of the Rhône; repairs ceased in the seventeenth century and now only four arches remain of the original twenty-two. Its familiar silhouette has become as much a symbol of Avignon as the Eiffel Tower is of Paris. On 14 July, for the *fête nationale*, folk groups demonstrate traditional Provençal dances on the bridge, followed by magnificent fireworks that create an impressive display over the river.

Activité 44 Extraits 51 et 52

Check that you understand the following expressions, using your dictionary for any you're unfamiliar with. Then listen to both these extracts again and tick the expressions you hear.

Cochez les expressions que vous entendez.

1 le long de ☐
2 au bout de ☐
3 devant ☐
4 à l'opposé de ☐
5 en face (de) ☐
6 en haut de ☐
7 en bas de ☐
8 à l'angle de ☐
9 au coin de ☐
10 après ☐
11 jusqu'à ☐
12 par là ☐

Activité 45 Extrait 53

1 Look again at the map of Avignon. Prepare some written directions for routes (a)–(c) below, using the structures shown in brackets.

Expliquez le chemin qu'il faut prendre.

(a) from the Pont Saint-Bénezet to the place Crillon (imperative)

(b) from the main tourist office to the station (*il faut* + infinitive)

(c) from the Palais des Papes to the Musée Lapidaire (*vous devez* + infinitive)

2 Listen to Extract 53 and give directions according to the prompts.

Donnez les explications.

Les remparts et le cours Jean Jaurès

Session 9

You and Christine are now lost on your way back to the hotel from Juliette's! A passer-by helps you.

Key Learning Points

- Using negative structures with the *passé composé*
- Forming past participles

Activité 46

Look at the statements under each picture and say whether they are true or false. Where false, correct them in French.

Vrai ou faux? Corrigez les informations fausses.

le bon chemin
the right direction

franchi
crossed

passage clouté (m.)
pedestrian crossing

raté
missed

1 Pour aller à l'hôpital, elle n'a pas pris le bon chemin.

2 Il n'a pas tourné aux feux.

3 Il a franchi la rivière et il est arrivé à l'église.

4 Elle n'a pas traversé au passage clouté.

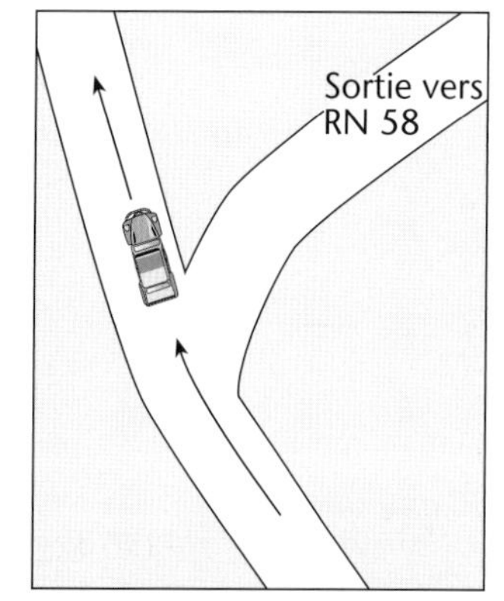

5 Il a raté la sortie.

G 12 Using negative structures with the 'passé composé'

When used in the *passé composé, ne ... pas, ne ... plus* and *ne ... jamais* are placed on each side of *avoir* or *être*:

Il **n'**a **pas** tourné aux feux.

Elle **n'**est **plus** venue en France.

Nous **n'**avons **jamais** mangé d'escargots.

Activité 47 Extrait 54

Listen to the directions given to Christine by a passer-by in Extract 54. Using the map from Activity 42, draw the route that the two of you took and mark with a cross the spot where you met the passer-by.

Écoutez et retracez votre chemin.

Activité 48 Extrait 55

1 Read the transcript for Extract 54 from the last activity several times, paying particular attention to Christine's part.

Lisez plusieurs fois la transcription de l'extrait 54.

2 Once again you are lost in the streets of Avignon and need directions. Listen to Extract 55 and speak in the pauses, following the prompts.

Parlez dans les pauses.

Activité 49

1 Read the transcript for Extracts 54 and 55 and the captions in Activity 46. For each of the verbs (a)–(i) below, note down how it is used in the relevant text. The first has been done as an example.

Notez les verbes.

Transcript, Extract 54

(a) prendre Vous n'**avez** pas **pris**...; nous avons pris...; si vous **avez pris**...; **prenez** la grande avenue; vous **prenez** la rue des Marchands...

(b) partir

(c) passer

(d) tourner

(e) faire

Transcript, Extract 55

(f) arriver

(g) descendre

Captions, Activity 42

(h) franchir

(i) rater

2 Read the following sentences and give the infinitive of the verbs in bold.

Trouvez les infinitifs des verbes.

(a) Vous n'avez pas **suivi** les instructions.

(b) Il a **dormi** toute la matinée.

(c) On a **senti** une bonne odeur!

(d) Elle est **venue** tout de suite.

3 Add the basic form of each past participle from steps 1 and 2 to the appropriate segment of the following circle, according to its ending.

Mettez les participes passés dans la bonne partie du cercle.

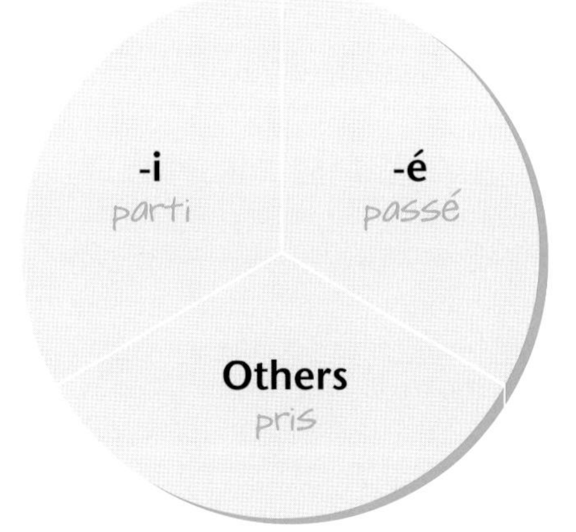

G 13 Forming past participles

As you saw in Unit 5 (G7 in Session 8), past participles of ***-er*** verbs end in '**-é**'.

Past participles of ***-ir*** verbs generally end in '**-i**', for example:

*fin**i** (finir)* *sent**i** (sentir)* *sort**i** (sortir)*

*part**i** (partir)* *dorm**i** (dormir)*

and their compounds such as:

*ressent**i** (ressentir)* *repart**i** (repartir)* *ressort**i** (ressortir)*

The past participle of some *-ir* verbs does not end in '-i'. In these cases it is likely to end in '-u', but there is no hard-and-fast rule and it's best to memorize the exceptions. These include:

*ven**u** (venir)* *cour**u** (courir)*

and compounds such as:

*reven**u** (revenir)* *deven**u** (devenir)*

A number of other useful past participles (of *-ir* and other verb categories) do not conform to a regular pattern, and are worth memorizing:

été (être)
eu (avoir)
pu (pouvoir)
dû (devoir)
voulu (vouloir)
vu (voir)
mort (mourir)
offert (offrir)
pris (prendre)
fait (faire)
entendu (entendre)

MEMORIZING PAST PARTICIPLES

Making lists of past participles according to their endings can be an excellent way of remembering them. You can use a 'pie-chart' model like that in Activity 49, or you can simply use a page of a notebook per group. Remember that once you know the past participle of a verb, all its compounds will end in the same way, as demonstrated above.

Activité 50 Extrait 56

râler
to moan/groan
le palier
landing (in flats)

Philippe and his wife have had a problem. Listen to Extract 56 and choose the correct summary below.

Philippe et sa femme ont eu un problème. Écoutez et choisissez le bon résumé.

1 Nous avons passé la soirée avec des amis chez ma fille et nous sommes rentrés chez nous le matin à 8 heures. Nous avons trouvé un voisin endormi sur le palier. Nous avons un peu râlé mais le voisin a expliqué: 'Je suis rentré à 4 heures du matin: pas de clés! Je n'ai pas pu ouvrir la porte!' ❑

2 Nous avons passé la soirée chez des amis. Nous sommes rentrés à 4 heures du matin et nous avons frappé à la porte. Mais ma fille n'a pas entendu. Les voisins ont râlé et nous avons dormi sur le palier. À 8 heures ma fille a finalement ouvert la porte. ❑

Activité 51

Write a story of around sixty words about something odd that happened to you recently. Use verbs in the *passé composé*, remembering to make the necessary past-participle agreements. Try to use some negative forms (e.g. *ne ... pas*) and linking words like *d'abord, ensuite, finalement* etc. to help with the sequence of events.

Écrivez une petite histoire.

Session 10

In this session you will revise talking about past events, giving instructions and explaining a procedure, using direct object pronouns and using linking words to sequence a story.

Activité 52 Extrait 56

1 Listen to Extract 56 again and fill the gaps in the following sentences, according to what you hear.

Complétez les phrases suivantes.

(a) Nous __________ la soirée chez des amis.

(b) Nous __________ en bas de l'immeuble.

(c) Nous __________ au cinquième étage.

(d) Nous __________ à la porte.

(e) Nous __________ sur le portable.

(f) Nous __________ de réponse.

(g) Nous __________ sur le palier.

2 Rewrite the sentences from step 1, now using *je* instead of *nous*.

Réécrivez les phrases.

Activité 53 Extrait 57

1 Listen to Extract 57, where Catherine gives a recipe for truffle omelette, and answer the following questions in French.

Écoutez l'extrait et répondez aux questions.

(a) Donnez la liste des ingrédients pour la recette.

(b) À quelle période de l'année est-ce qu'on trouve des truffes?

(c) Selon Catherine, quel est le meilleur jour de la semaine pour acheter votre truffe?

2 Read the transcript and find the French equivalents of the following words and phrases.

Trouvez les équivalents français des ces expressions.

(a) first of all

(b) in particular

(c) as a rule

(d) of course

(e) frying-pan

(f) you beat

(g) you grate

(h) a grater

(i) runny

3 Read the transcript for Extract 57 again and underline the words or expressions that Catherine uses to divide her instructions into three steps.
Trouvez les mots de liaison.

4 Which two structures does Catherine use to give her instructions?
Trouvez les deux structures.

5 Underline the direct object pronouns and say which nouns they stand for.
Soulignez les pronoms objets directs.

Activité 54

1 Match the answers (i)–(iii) to the questions (a)–(c).
Associez les réponses aux questions.

(a) Que penses-tu de la chanson française?	(i) Je les adore.
(b) Est-ce que tu aimes les fleurs?	(ii) Je ne le connais pas.
(c) Tu approuves le discours des socialistes?	(iii) Je la trouve trop sentimentale.

2 Rewrite these sentences, replacing the words in bold with direct object pronouns (*le*, *la* or *les*) and using correct word order.
Remplacez les mots en gras par 'le', 'la' ou 'les'.

(a) Julie porte **le pull de Georges**.

(b) Je déteste **la viande**.

(c) On attend **les voisins**.

(d) Éric n'aime pas vraiment **les enfants**.

(e) Écrivez **votre nom de famille** dans cette boîte.

(f) Aidez **votre frère et votre sœur**!

(g) Ne prenez pas **ma bicyclette**!

Activité 55 Extrait 58

1 Match the French terms in the first column below with their English equivalents.
Trouvez l'équivalent anglais des expressions en français.

(a) un ordinateur	(i) a carbon copy ('c.c.')
(b) le destinataire	(ii) a symbol
(c) la case/la bande	(iii) an exclamation mark
(d) une copie carbone	(iv) the addressee
(e) un signe	(v) a computer
(f) un point d'exclamation	(vi) the box

prévue à cet effet
intended for this purpose

2 Listen to Extract 58 where Francis explains how to send an e-mail. Number the four steps below in the order he talks about them.

Numérotez les instructions de Francis dans l'ordre de l'extrait.

(a) Il faut écrire l'objet du mail.

(b) Pour un mail important, il faut mettre un point d'exclamation rouge.

(c) Il faut mettre l'adresse du destinataire.

(d) On peut envoyer une copie carbone à une autre personne.

3 Francis omitted the two final steps in sending an e-mail. Using the vocabulary below, write two sentences giving these final instructions.

Complétez les instructions en utilisant le vocabulaire ci-dessous.

finalement
le bouton 'Envoi'
il faut
ensuite
cliquez sur
le message
écrire

FAITES LE BILAN

Now that you have finished the last five sessions of this unit, you should be able to:

- Understand and give recipes ❑
- Give instructions and explain procedures, using the infinitive, the present tense and '*il faut* + infinitive' ❑
- Understand and give directions around town ❑
- Use the direct object pronouns *le, la, l', les* ❑
- Use negative structures with the *passé composé* ❑
- Form a range of past participles ❑

Tick each box when you think you can do each point. If you are not sure about something, go back and revise it in the appropriate session.

Corrigés

Activité 1

1 (a)–(vi), (b)–(v), (c)–(iv), (d)–(iii), (e)–(ii), (f)–(i), (g)–(x), (h)–(xii)*, (i)–(viii), (j)–(xi), (k)–(ix), (l)–(vii), (m)–(xv), (n)–(xiv), (o)–(xiii)

* *Salon* is normally used for 'living-room/lounge'; *(salle de) séjour* is more general and can include wider functions such as a dining area.

2 (a) cuisine équipée *(fitted kitchen)* cuis. équip.

(b) ascenseur asc.

(c) salle de bains s. de bains

(d) salle de séjour s. de séj.

(e) appartement à trois pièces principales appt T3

(f) chambre ch.

(g) chauffage central chauf. cent.

(h) parking pkg

(i) sous-sol s/sol

(j) charges comprises c.c.

(k) immeuble imm.

3 The first two adverts in the *À louer* column are likely to interest her, being for rent and probably the right size.

Activité 2

1 (i) is flat A, (ii) flat C and (iii) flat B.

2 (i) Both *qui* and *que* are translated by 'that' or 'which'.

(ii) Both *qui* and *que* relate to *l'appartement* in the sentences labelled B.

Activité 3

1 (a) Vrai.

(b) Faux. Il se trouve dans un quartier historique.

(c) Faux. Il a une surface habitable de 80 m².

(d) Faux. Le propriétaire a rénové la cuisine.

2 (b) C'est un appartement **<u>qui</u> se trouve dans un quartier neuf**.

(c) C'est un appartement **<u>qui</u> a une surface habitable de 90 m²**.

(d) C'est un appartement **<u>que</u> le propriétaire a rénové**.

Activité 4

Check your answers on the CD and in the transcript.

Activité 5

You may have said something like this:

> Allô [X]. J'ai trouvé un appartement! C'est un appartement de 50 m² qui se trouve au centre-ville d'Avignon. Il a deux chambres et une salle de séjour. Il a aussi une cuisine équipée et le loyer est de 500 euros par mois, charges comprises. Super, non? Salut, à bientôt!

Activité 6

1 The correct summary is (c). (Did you notice the '*Allô*', indicating that this was a phone conversation?)

2 (a) Faux. Il se trouve dans le quartier de la Balance.

(b) Vrai.

(c) Faux. C'est un appartement T2.

(d) Faux. Il y a un ascenseur.

(e) Vrai.

3 (a) C'est un très **bel** appartement T2 qui **se trouve** quartier de la Balance.

(b) **Est-ce qu'**il y a un parking privé?

(c) Où **est-ce qu'il se situe exactement**?

4 (a) Vous avez [...] un appartement à louer?

(b) Il est au deuxième étage.

(c) Je voudrais bien visiter l'appartement.

(d) À quelle heure est-ce que je peux passer le visiter? *(Here,* le *means 'it'; you will cover this in Session 7.)*

(e) Je suis très pris(e).

(f) Je regarde mon agenda.

(g) Cet après-midi j'ai un autre rendez-vous.

(h) On pourrait prendre rendez-vous pour demain matin.

(i) À demain.

Activité 7

Check your answers on the CD and in the transcript.

Activité 8

1 You should have ticked all except the first one. There is no car park, but there are parking places for the residents.

2 The correct answers were (b) and (c). Did you pick up ***au-dessus de*** ('above') and ***au-dessous de*** ('below')?

3
- un parking [...] **sous** l'immeuble *(under)*
- des places de parking **derrière** le bâtiment *(behind)*
- l'arrêt de bus est juste **devant** l'immeuble *(in front of)*
- une terrasse **sur** le toit *(on)*
- une antenne parabolique **sur** le toit *(on)*

Activité 9

1 dans; 2 sur; 3 à côté de; 4 derrière; 5 au-dessus de; 6 sous; 7 devant; 8 au-dessous de

Activité 10

You could have said something like this:

> La terrasse se trouve devant la maison et le jardin est derrière. Il y a un garage à côté de la maison et une voiture dans le garage. Une antenne parabolique se trouve sur le toit de la maison. Dans le jardin, il y a un homme et une femme/un couple et ils prennent un apéritif. Le chat est sous la table de jardin.

Activité 11

Check your answers on the CD and in the transcript.

Activité 12

1 la salle à manger; 2 la chambre (à coucher); 3 la cuisine; 4 les toilettes/WC; 5 la salle de bains; 6 le salon

Activité 13

1 Smaller rooms like E and F are likely to be the bathroom and the toilet, and there's a dining area in room C. The precise layout will become clear in the remainder of the activity.

2 (a)–(iii), (b)–(v), (c)–(vi), (d)–(i), (e)–(ii), (f)–(iv)

3 A la chambre de Juliette

B la cuisine

C le salon + la salle à manger *(also called* [salle de] séjour *as you saw at the beginning of this unit)*

D la chambre d'amis

E la salle de bains

F les toilettes/WC

G le couloir *(corridor)*

4 • *(tout de suite) à gauche* (immediately) on the left

- *à côté de* next to
- *en face de* opposite
- *entre* between
- *(tout de suite) à droite* (immediately) on the right
- *au bout de (du)* at the end of
- *tout droit* straight ahead

5 Christine uses the structure '*Que c'est* + adjective' four times in her reactions:

- Que c'est mignon!
- Que c'est joli!
- Que c'est gentil!
- Que c'est spacieux!

Activité 14

1 [...] Que c'est désagréable!

2 Que c'est lumineux...

3 [...] Que c'est embêtant!

4 Que c'est pratique...

5 [...] Que c'est confortable!

Activité 15

Your answer is personal to you, but you could compare your work with Extract 39 and its transcript.

Activité 16

1 (a) servir; (b) partir; (c) venir; (d) dormir; (e) sentir

2 • **Venez** par là...

- Tu **dors** là, alors?
- Hmmm, ça **sent** bon – ça **vient** de la cuisine?
- Oui, je vais vous **servir** un bon petit repas...

Activité 17

1

	Venir	Dormir
Ça **sent** bon dans la cuisine.		sentir
Tu **sers** un verre de vin à Christine?		servir
Je **tiens** le plateau de petits gâteaux.	tenir	
Il **part** après le repas.		partir
Elle **court** tous les jours.		courir

2 (a) sent; (b) sert; (c) pars; (d) tiens; (e) courons; (f) retient

Activité 18

Check your answers on the CD and in the transcript.

Activité 19

1 (a) un lit; (b) une chaise; (c) un tabouret; (d) un fauteuil; (e) une table; (f) un canapé; (g) une armoire; (h) une commode; (i) un buffet

2 Here are the most likely answers:

(a) Dans la salle à manger il y a une table, des chaises et un buffet.

(b) Dans la chambre à coucher on trouve un lit, une armoire et une commode.

(c) Dans le salon il y a un canapé et des fauteuils.

(d) Dans la cuisine on trouve une table, des chaises et un tabouret.

3 You could have written something like this:

> Quand on entre **dans** ma chambre, l'armoire est **à gauche** et le lit se trouve **devant** la fenêtre. **À côté du** lit, il y a une commode et un fauteuil. Il y a beaucoup de vêtements **dans** ma

commode! Toutes mes photos sont **sous** le lit, **dans** des boîtes. J'ai un cadre **au-dessus du** lit et deux coussins **sur** le lit.

Activité 20

1 des chaises en bois; un petit tabouret; un vieux fauteuil; une table ronde; un lit bas

2 The correct order is (c), (e), (a), (b), (f), (d).

3 entrer/sortir; aller/venir; partir/arriver; monter/descendre

4 (a) entrer; (b) sortir; (c) retourner; (d) rester; (e) monter; (f) descendre

Activité 21

1 (a) Juliette **est entrée** dans le magasin.

(b) Bernard **est arrivé** tôt.

(c) Les magasins **sont restés** ouverts tard.

(d) Elles **sont parties** lundi.

2 (a) Un client **est entré** dans le magasin.

(b) Christine et Juliette **ont regardé** un film ensemble.

(c) Le chat **est tombé** du toit.

(d) Qu'il **est devenu** grand, ton fils!

3 Here is a sample answer:

(a) Hier, Marcel **est sorti** de chez lui vers 11 heures. Il **a regardé** les vitrines pendant un quart d'heure. Il **a réfléchi** un moment.

(b) Il **est entré** dans l'agence immobilière.

(c) Marcel et l'agent immobilier **ont discuté**. Marcel **est resté** pendant dix minutes.

(d) Il **est sorti** de l'agence à 11 h 25.

Activité 22

1 d'abord

2 ensuite, puis

3 finalement

Did you also spot *au depart*, which can be an equivalent of *d'abord*?

Activité 23

Here is a sample answer with the linking words shown in bold:

(a) Hier, Marcel est sorti de chez lui vers 11 heures. **D'abord**, il a regardé les vitrines pendant un quart d'heure. **Puis**, il a réfléchi un moment.

(b) **Ensuite**, il est entré dans l'agence immobilière.

(c) Marcel et l'agent immobilier ont discuté. Marcel est resté pendant dix minutes.

(d) **Finalement** il est sorti de l'agence à 11 h 25.

Activité 24

Check your answers on the CD and in the transcript.

Activité 25

Here is a sample short story that includes all the verbs given in the picture. Use it to check you have used all the verbs, with the correct forms of *être* and past participles (including the appropriate endings). The linking words are underlined.

> La semaine dernière, Pascale et Marc ont visité une maison dans un joli village. Pascale **est née** à côté de ce village. Aujourd'hui, ce village **est devenu** une petite ville. Ils **sont arrivés** à 10 heures. Ils **sont venus** avec l'agent immobilier et **sont entrés** ensemble dans la maison. Ils **sont montés** au premier étage pour voir les chambres, **sont passés** rapidement devant la salle de bains **puis** ils **sont descendus** au rez-de-chaussée pour visiter la salle à manger. **Ensuite**, ils **sont sortis** dans le jardin. Marc a entendu *(heard)* un bruit. Pascale **est allée** au bout du jardin et elle a dit, 'Regarde, un chat **est tombé** du toit! Pauvre petit

chat... il n'**est** pas **mort**, j'espère!' Marc a répondu *(answered)*, 'Mais non, les chats ont sept vies!' **Enfin**, ils **sont retournés** dans la maison et **sont restés** quelques minutes dans le salon, pour discuter un peu. L'agent immobilier **est parti** vers 11 heures.

Activité 26

The flat has features 3, 4, 5, 6 and 11.

Activité 27

1–(b), 2–(a), 3–(c), 4–(b)

Activité 28

1 sur; 2 devant; 3 derrière; 4 au-dessous de/sous; 5 sous; 6 à côté de/derrière/devant; 7 au-dessus de; 8 dans

Activité 29

1 The correct statements were (a) and (d). (For further revision, you could correct the false statements.)

2 (a) que – que; (b) qui; (c) dormi – fait; (d) partie; (e) sortie

Activité 30

1 You should have selected:

- maison à un étage
- en location
- gros

2 Une salle de séjour et une cuisine (au rez-de-chaussée); trois chambres, un bureau et une salle de bains (au premier étage).

3 The people are nice and it's very quiet.

4 You might have written something like this:

C'est une maison à louer qui a un étage. Au rez-de-chaussée il y a une salle de séjour et une cuisine. Au premier étage, il y a trois chambres, un bureau et une salle de bains. Le loyer est peut-être un peu cher mais la maison est située dans le quartier du Coudoulet. C'est un quartier qui est très calme et les gens du quartier sont très sympathiques.

Activité 31

Here is an example of what you might have said:

La semaine dernière je **suis allé(e)** au marché. J'**ai acheté** des légumes et des fruits. J'**ai choisi** des tomates très rouges pour la salade. Je **suis entré(e)** dans une boulangerie pour acheter le pain. Trente minutes plus tard j'**ai rencontré** mes ami(e)s. Nous **sommes retourné(e)s** au marché et nous **avons vu** des meubles très jolis: des chaises en paille et des tabourets en bois. Finalement, nous **sommes parti(e)s** vers 13 heures et je **suis rentré(e)** à la maison à 13 h 30.

Activité 32

1 (a) ajouter quelques pincées de sel

(b) couper les tomates en tranches

(c) disposer sur une assiette

(d) arroser d'un filet d'huile d'olive

2 couper, disposer, arroser, ajouter, couper, poser, ajouter

Activité 33

1 **Les pâtes à l'ail:** (a) faire cuire; (b) couper; (c) faire revenir; (d) égoutter; (e) faire revenir; (f) ajouter; (g) servir

Le gâteau au yaourt: (a) mettre; (b) conserver; (c) verser; (d) mélanger; (e) ajouter; (f) mélanger; (g) verser; (h) mettre

2 Pierre and Agnès use the present tense: ***vous faites*** *cuire...*, ***vous coupez****...*, ***vous prenez****...*, ***vous mettez****...*, etc.

Activité 34

Check your answers on the CD and in the transcript.

Activité 35

1
- … un yaourt, **que** vous mettez dans un saladier (Agnès): *here* que *relates to* un yaourt *(and is the object of* vous mettez*)*.
- … trois mesures de farine, puis trois mesures de sucre en poudre, **que** vous mélangez (Agnès): *here* que *relates to* trois mesures de farine + trois mesures de sucre en poudre *(and is the object of* vous mélangez*)*.
- … des oignons **que** tu coupes (Claudine): *here* que *relates to* oignons *(and is the object of* tu coupes*)*.
- … une Tatin de tomates **que** tu retournes sur un plat (Claudine): *here* que *relates to* Tatin de tomates *(and is the object of* tu retournes*)*.

2 You may have written something like:

> Pour la recette de l'omelette parfaite, c'est simple. Dans le saladier tu mets quatre œufs, que tu bats énergiquement. Tu ajoutes une pincée de sel et un peu de poivre. Tu verses les œufs dans une poêle bien chaude. Tu laisses cuire cinq minutes. Et voilà! Tu as une bonne omelette que tu retournes sur un plat.

Check your spelling carefully, particularly the *tu* verb forms which should all end in '-s'. Remember that *que* will be followed by a subject and its verb, for example:

> … tu mets quatre œufs, **que <u>tu bats</u>** énergiquement.

3 This time make sure you used the *vous* form of the present tense (*vous mettez, vous battez, vous ajoutez*, etc.), as you were addressing several people, and that you pronounced the '-ez' as you would '-é'.

Activité 36

1 (a)–(iv), (b)–(i), (c)–(v), (d)–(ix), (e)–(vii), (f)–(iii), (g)–(vi), (h)–(ii), (i)–(viii), (j)–(x)

2 (a) Non, chez Juliette il y a huit personnes autour de la table et la nappe est à carreaux.

(b) Oui, chez Juliette la fourchette est à gauche de l'assiette – sur la serviette – le couteau est à droite et la cuillère à soupe est à côté du couteau.

Activité 37

Les means 'them' in these phrases.

Activité 38

1 On **le** met (le couvert); je **l'**enlève (ton vase); tu **l'**enlèves et tu **le** poses (le vase); tu vas **la** trouver (la grande nappe); je **les** prends (les assiettes); je **les** ai sorties (les assiettes); tu peux **les** poser (des petits bols); je **la** mets (la serviette); mets-**la** (la serviette); ma mère qui **les** a achetés (les verres à vin); je **les** place (les verres à vin); tu **le** places (le verre à vin blanc); je **la** mets (la cuillère à soupe)

2 Christine's part is good for practising asking questions. Juliette's part is useful for practising giving instructions or making requests. Try to follow their intonation as closely as you can.

3 Check your answers on the CD and in the transcript, or from the *corrigé* for step 1 above.

Activité 39

Check your answers on the CD and in the transcript.

Activité 40

1 la cave *(cellar)*; l'hébergement *(accommodation)*; l'immobilier *(property market)*

2 The correct order is (e), (d), (c), (a), (f), (b).

Activité 41

Dialogue 1

– Qu'est-ce qu'il faut faire pour appeler les pompiers?

– Il faut faire/composer le 18.

(Note that French emergency numbers have only two digits.)

Dialogue 2

– Qu'est-ce qu'il faut faire pour trouver un appartement?

– Il faut lire les petites annonces dans le journal ou aller dans une agence immobilière.

Dialogue 3

– Qu'est-ce qu'il faut faire pour trouver des meubles anciens?

– Il faut aller chez un antiquaire ou chez un brocanteur.

Activité 42

1 This map shows the route to the hotel, the rue Molière (labelled in green) and the town hall:

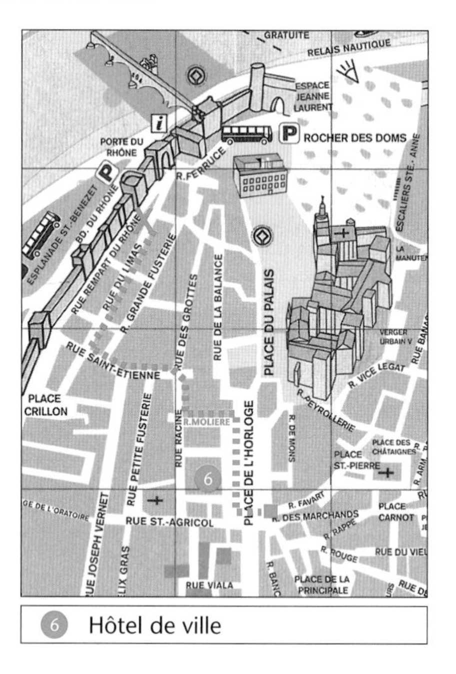

6 Hôtel de ville

2 (a) pour **arriver** à votre hôtel...

(b) • il faut **prendre** à gauche [...] et **tourner** à droite...

• il faut **traverser** la place...

(c) vous devez **passer** devant l'Opéra...

(d) vous ne pouvez pas le **rater**

Activité 43

1 (a)–(vii), (b)–(viii), (c)–(v), (d)–(ii), (e)–(vi), (f)–(ix), (g)–(i), (h)–(iv), (i)–(iii)

2

Present tense	Imperative	*Il faut* + infinitive
• [Vous allez…] • **Vous traversez** la rue, **passez** les remparts… • … **vous suivez** les indications…	• **Allez** au pont…	• **Il faut remonter** la rue de la République, **traverser** la place de l'Horloge…

3 (a) The main tourist office is number 1 on the map.

(b) The other branch is number 4 on the map, just next to the Pont Saint-Bénezet.

(c) Because it's 6 pm and this is when the main tourist office closes; the other branch closes at 7 pm.

Activité 44

Here are the meanings of the expressions and where they are used (where applicable).

1 along **(Extract 51)**

2 at the end of

3 in front of/facing **(Extract 51)**

4 in the opposite direction from

5 opposite/facing **(Extract 51)**

6 at the top of

7 at the bottom of

8 at the corner of **(Extract 51)**

9 at the corner of

10 after **(Extract 52)**

11 up to/as far as ('until' in time uses, as in **Extract 52**)

12 this/that way

Activité 45

1 You could have written:

(a) **Passez** les remparts par la porte du Rhône. **Prenez** à droite la rue du Limas. **Continuez** tout droit. La place Crillon est au bout de la rue.

(b) **Il faut tourner** à gauche et **aller** jusqu'au bout du cours Jean Jaurès, **passer** les remparts et **traverser** la rue. La gare est en face de vous.

(c) **Vous devez aller** à gauche et **traverser** la place du Palais. Ensuite **vous devez continuer** tout droit et **traverser** aussi la place de l'Horloge. Après, **vous devez descendre** la rue de la République. Le Musée Lapidaire est à gauche, à l'angle de la rue F[rédéric] Mistral.

2 Check your answers on the CD and in the transcript.

Activité 46

1 Faux. Elle a pris le bon chemin.

2 Faux. Il a tourné aux feux.

3 Faux. Il n'a pas franchi la rivière et il n'est pas arrivé à l'église.

4 Faux. Elle a traversé au passage clouté.

5 Vrai.

Activité 47

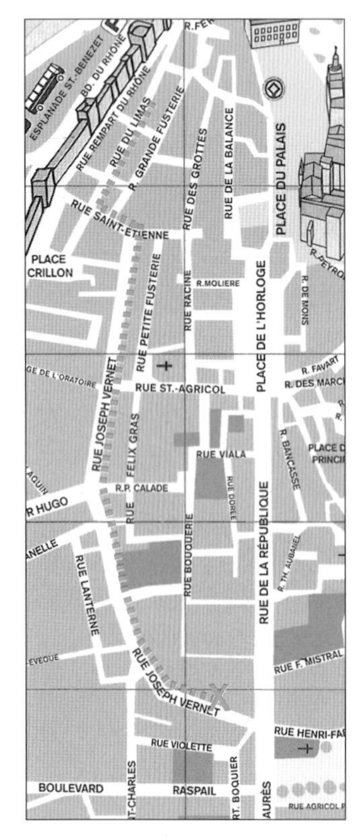

Activité 48

2 Check your answers on the CD and in the transcript.

Activité 49

1 (b) Vous êtes **parti(e)s** d'où?; nous **sommes parti(e)s** de la rue du Limas.

(c) Vous **êtes passé(e)s** par où?; **Passez** les feux...

(d) nous **avons tourné** à droite...; **tournez** à gauche...

(e) vous **avez fait** erreur...; Nous **avons fait** des kilomètres...

(f) nous **sommes arrivé(e)s** où?

(g) Vous **êtes descendu(e)s** trop bas!

(h) Il **a franchi** la rivière...

(i) Il **a raté** la sortie.

2 (a) suivre; (b) dormir; (c) sentir; (d) venir

3

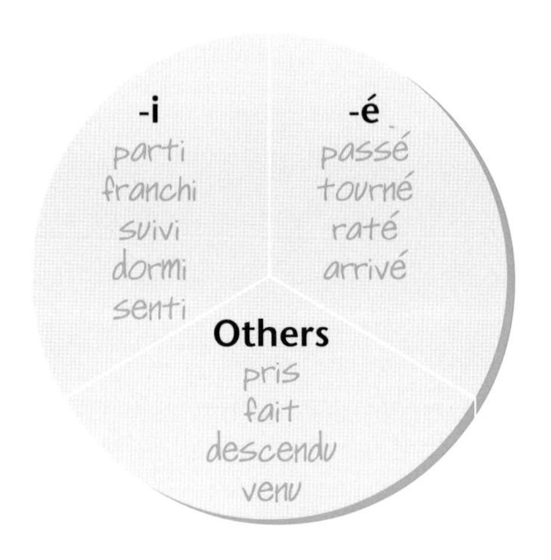

Activité 50

The second version is the correct one.

Activité 51

Your story is of course entirely your own, but check that you:

- included negative verb forms, e.g. *je n'ai pas pris de vin*;
- remembered to make the appropriate past-participle agreements, e.g. *nous sommes allé(e)s, elle est arrivée*;
- put the events in your story into a logical order, using words such as *d'abord*, *après*, *ensuite* and *finalement* to help the reader understand what happened when.

Activité 52

1 Check your answers on the CD and in the transcript.

2 (a) J'ai passé la soirée chez des amis.
 (b) Je suis arrivé(e) en bas de l'immeuble.
 (c) Je suis monté(e) au cinquième étage.
 (d) J'ai frappé à la porte.
 (e) J'ai téléphoné sur le portable.
 (f) Je n'ai pas eu de réponse.
 (g) J'ai dormi sur le palier.

Activité 53

1 (a) Il faut une truffe *(a truffle)*, six œufs, de l'huile d'olive, du sel, du poivre.
 (b) On les trouve du mois de novembre au mois de février.
 (c) On l'achète le vendredi (matin).

2 (a) tout d'abord; (b) notamment; (c) en règle générale; (d) bien sûr; (e) poêle *(feminine)*; (f) vous battez; (g) vous râpez; (h) une râpe; (i) baveuse *(masculine* baveux*)*

3 Catherine uses *tout d'abord*, *ensuite* and *alors*.

4 She uses a mixture of '*il faut* + infinitive' (e.g. *il faut acheter*) and the present tense (e.g. *vous cassez, vous mettez*).

5 • ... on **les** trouve sur le marché... (les truffes)
 • ... et selon si vous **l'**aimez baveuse, eh bien, il faut pas trop **la** faire cuire (l'omelette)

Activité 54

1 (a)–(iii), (b)–(i), (c)–(ii)

2 (a) Julie **le** porte.
 (b) Je **la** déteste.
 (c) On **les** attend.
 (d) Éric ne **les** aime pas vraiment.
 (e) Écrivez-**le** dans cette boîte.
 (f) Aidez-**les**!
 (g) Ne **la** prenez pas!

Activité 55

1 (a)–(v), (b)–(iv), (c)–(vi), (d)–(i), (e)–(ii), (f)–(iii)

2 The correct order is (c), (d), (a), (b).

3 To finish the instructions, you could have written:

 Ensuite, il faut écrire le message. Finalement cliquez sur le bouton 'Envoi'.

Transcriptions

This is audio CD 3 of the Open University French course, *Bon départ*.

UNIT 5

Extrait 1

Élisabeth Bonjour. Je suis Élisabeth Abadie. Bienvenue à notre groupe d'agences immobilières. En tant que cadre, je voyage beaucoup. Je suis chargée de la formation du personnel de tout le groupe. Je vous présente mon assistant, Yannick.

Yannick Bonjour, je m'appelle Yannick Lelong et je suis responsable du bureau et de l'administration. J'organise les rendez-vous pour Élisabeth et je suis chargé de l'accueil des clients.

Élisabeth Laurent Salvétat est responsable du service des locations. Laurent n'est pas ici ce matin.

Extrait 2

Homme 1 Je suis secrétaire. Je travaille chez un avocat.

Femme 1 Je m'appelle Brigitte Arnaud. Je suis comptable chez Dupont et Fils. Je suis responsable de la comptabilité générale.

Homme 2 Je suis technicien transport à la SNCF.

Femme 2 Je suis responsable régionale des ventes. Je travaille chez un fabricant de chaussures.

Homme 3 Je m'appelle Christophe et je suis vendeur. Je suis chargé de la section alimentation dans un supermarché.

Femme 3 Je m'appelle Simone Charpentier. Je travaille dans une usine où je suis ingénieur commercial. Je suis chargée de la promotion de nos produits.

Extrait 3

la RATP
la CGT
l'ANPE
les P&T
GDF
la BNP
CEDEX

Extrait 4

Christine Laurent, vous partez de chez vous à quelle heure le matin?

Laurent Je pars de chez moi à sept heures et j'arrive à mon bureau à huit heures trente.

Christine Vous finissez à quelle heure?

Laurent Ah, ça dépend. Normalement je finis à dix-huit heures trente. Je rentre chez moi à vingt heures.

Christine Et vous, Jean-Yves?

Jean-Yves Mes enfants partent avec moi à huit heures. J'arrive ici vers neuf heures moins le quart. Je pars toujours de l'agence à cinq heures et demie et je rentre à la maison à six heures et quart.

Christine Et vous, Sylvie?

Sylvie Nous partons de la maison à huit heures et demie. Je commence ici à neuf heures et quart. C'est bien, l'horaire variable, non?

Christine Et le soir, alors?

Sylvie Ouf, le soir, beaucoup de mes collègues finissent avant moi! Je pars à dix-huit heures quarante-cinq et je rentre vers dix-neuf heures trente.

Christine Merci à tous.

Extrait 5

Christine Allô?

Élisabeth Allô, Christine, c'est moi, Élisabeth. Je vais au restaurant ce soir avec Yannick et des collègues de la Chambre de commerce. Ça te dit de venir avec nous?

Christine Euh... oui, je veux bien, Élisabeth. C'est gentil.

Élisabeth Tu travailles avec Laurent cet après-midi?

Christine Euh non, je fais des interviews chez Dupont et Fils. Ce soir, vous partez de l'agence?

Élisabeth Oui, mais toi, tu peux aller directement au restaurant si tu veux. Tu finis tes interviews quand?

Christine Aujourd'hui, euh, nous finissons vers six heures et demie, sept heures moins le quart, ça dépend. Vous partez à quelle heure?

Élisabeth Bon, écoute, nous on part de l'agence à sept heures et demie. Ça te convient?

Christine Oui, d'accord. Merci, Élisabeth. À ce soir, donc.

Élisabeth Au revoir, Christine. À ce soir.

Extrait 6

Parlez dans les pauses.

Élisabeth Je vais au restaurant ce soir avec Christine et Yannick. Est-ce que vous voulez venir avec nous?

(*Tell Élisabeth that yes, you'd like that. That's kind.*)

Vous Oui, je veux bien, Élisabeth. C'est gentil.

Élisabeth Vous travaillez avec Christine cet après-midi?

(*Say no, you're working with Laurent.*)

Vous Non, je travaille avec Laurent.

Élisabeth Vous finissez à quelle heure?

(*Tell her that today you're finishing at half past six.*)

Vous Aujourd'hui nous finissons à six heures et demie.

(*Ask her if she's leaving from the agency.*)

Vous Vous partez de l'agence?

Élisabeth Oui, on part à sept heures et demie. Ça vous convient?

(*Say yes, that's all right. Thank her.*)

Vous Oui, d'accord. Merci, Élisabeth.

Élisabeth Je vous en prie. À ce soir donc.

(*Tell her you'll see her this evening and say goodbye.*)

Vous Oui, à ce soir et au revoir.

Extrait 7

Laurent Bon, je pense que c'est tout. Merci à vous tous. Prochaine réunion, le jeudi 24 mai.

Nicole Mais non, Laurent! Le 24 mai, c'est férié. C'est l'Ascension.

Laurent Vendredi 25, alors. C'est d'accord?

Tous Oui, d'accord./OK./Entendu.

Nicole Désolée, Laurent, mais je ne travaille pas le 25. Je fais le pont. Nous partons en Bretagne du jeudi au dimanche.

Laurent Encore! Pff... Ah bon, Nicole, je prends mon agenda. On va trouver une autre date.

Extrait 8

Christine D'habitude, Jean-Yves, est-ce que vous prenez des congés en été?

Jean-Yves Ah, oui, toujours. Quatre semaines au mois d'août. Je pars avec mes enfants. Je prends aussi quatre ou cinq jours de congé en hiver, pour le ski – en février si possible.

Christine Vous aussi, Nicole, vous prenez des vacances en hiver?

Nicole Moi, je préfère les longs week-ends. La saison, ça m'est égal, en automne, au printemps… Il y a des promotions superbes sur l'Internet.

Christine Et vous, Sylvie, vous faites des ponts?

Sylvie En général, non, mais cette année je prends un jour de congé pour le pont du premier novembre. Comme Jean-Yves, je pars en vacances en été. Je vais en Espagne du 30 juin au 28 juillet.

Christine Et en hiver?

Sylvie Ah non, jamais! De janvier à avril, je ne pars jamais. Je déteste le froid!

Christine Merci, et bonnes vacances!

Extrait 9

Dominique Allô, Dominique Castali.

Élisabeth Bonjour Dominique. C'est Élisabeth. Le stage de formation approche, nous devons prendre rendez-vous.

Dominique Ah oui. Attendez, je prends mon carnet de rendez-vous. Quel jour est-ce que vous préférez?

Élisabeth Je peux venir vendredi.

Dominique Ah, je regrette, mais je ne suis pas libre vendredi. Vous pouvez venir jeudi?

Élisabeth Euh… Non, je suis désolée, mais jeudi je dois aller voir des clients.

Dominique Ah. Et… vous êtes disponible mercredi?

Élisabeth Oui, mercredi c'est possible.

Dominique Vous pouvez venir à quelle heure? Vous préférez neuf heures moins le quart ou treize heures trente?

Élisabeth Je dois choisir neuf heures moins le quart. J'ai un rendez-vous l'après-midi.

Dominique D'accord. Mercredi, huit heures quarante-cinq à mon bureau. C'est entendu. Au revoir, Élisabeth.

Élisabeth Oui. Au revoir Dominique. À mercredi.

Extrait 10

- Tu peux venir demain?
- Les employés ne peuvent pas commencer après neuf heures.
- Ces employés ne doivent pas finir à seize heures.
- Je vous dois combien?

Extrait 11

Parlez dans les pauses.

> ***Exemple***
>
> **Vous entendez** Nous devons prendre rendez-vous aujourd'hui.
>
> (demain)
>
> **Vous dites** Nous devons prendre rendez-vous **demain**.

Maintenant à vous!

Nous devons prendre rendez-vous aujourd'hui.

(demain)

Vous Nous devons prendre rendez-vous demain.

Je regrette, mais je ne suis pas libre mardi.

(mercredi)

Vous Je regrette, mais je ne suis pas libre mercredi.

Vous pouvez venir quel jour?

(à quelle heure?)

Vous Vous pouvez venir à quelle heure?

Je suis désolée mais je dois aller voir des clients.

(collègues)

Vous Je suis désolé(e) mais je dois aller voir des collègues.

Je dois choisir neuf heures.

(dix heures)

Vous Je dois choisir dix heures.

Extrait 12

Répondeur Bonjour. Vous êtes chez Agnès Farraud...

Élisabeth Ah, c'est le répondeur automatique! Elle n'est plus au bureau. Yannick, vous avez le numéro de téléphone privé d'Agnès Farraud, s'il vous plaît?

Yannick Un instant... voyons... Oui, voilà: c'est le 04.42.38.92.82. Oh! Attendez – j'ai un autre numéro. Ce n'est pas son portable.

Élisabeth Agnès a une résidence secondaire, dans les Pyrénées, je crois. Alors, ce numéro, s'il vous plaît?

Yannick Ah oui, c'est le 02.37.55.13.62.

Élisabeth Merci, Yannick. Vous pouvez partir si vous voulez. C'est tout pour ce soir.

Extrait 13

Répondeur Bonjour, vous êtes chez Agnès Farraud. Je ne peux pas répondre à votre appel en ce moment, mais vous pouvez me contacter sur mon portable au 06.76.54.32.10 ou laisser un message après le bip. Merci de votre appel et à bientôt.

Extrait 14

- Le numéro de Pierre, c'est le 02.54.69.59.20.
- Le numéro d'Olga, c'est le 01.45.91.57.33.
- Le numéro des P&T, c'est le 04.76.02.85.90.
- Le numéro de Christine, c'est le 06.12.34.56.78.

Extrait 15

Francis

Question Vous partez de chez vous à quelle heure le matin?

Francis Je pars à huit heures... du matin.

Question Vous finissez à quelle heure?

Francis Je finis à dix-sept heures.

Maryse

Question Vous partez de chez vous à quelle heure le matin?

Maryse Je travaille à mon domicile.

Question Et vous commencez à quelle heure?

Maryse Euh... à huit heures.

Question Et vous finissez à quelle heure?

Maryse Cela dépend.

Lionel

Question Tu pars de chez toi à quelle heure le matin?

Lionel Le matin, je pars à six heures et quart.

Question Et tu finis à quelle heure?

Lionel Je rentre à treize heures trente.

Extrait 16

Christine Allô, c'est Christine.

Vous Je regrette, mais je ne peux pas travailler ce soir.

Christine Ah bon?

Vous Désolé, mais je pars de l'agence à six heures et demie.

Christine Ah oui?

Vous Oui, je dois rentrer à dix-neuf heures.

Christine Et pourquoi?

Vous Euh... je vais au restaurant avec Nicole.

Christine Eh bien, bonne soirée!

Extrait 17

Répétez:

l'EDF
la TVA
le SAMU
TTC
le PDG
le RMI

Extrait 18

Yannick Euh... pardon, Élisabeth, vous êtes libre? Nous devons regarder le planning.

Élisabeth Ah... et mon courrier électronique? Oui, oui, d'accord, Yannick. Voyons, j'ai rendez-vous avec Monsieur et Madame Chauvet à neuf heures quarante-cinq. C'est qui les Chauvet? Ce sont des clients?

Yannick Oui. Un petit moment, je regarde sur le système... Ah, voilà. Monsieur Chauvet travaille à la poste. Ils vendent leur appartement et une boutique.

Élisabeth Bien. Monsieur Dumas, le nouveau chef de marketing, arrive à la gare à midi. Je dois absolument quitter le bureau à onze heures.

Yannick Mais, j'ai des lettres urgentes. On peut regarder le courrier à quelle heure?

Élisabeth Euh... à dix heures trente, d'accord? Monsieur Dumas descend à l'hôtel des Arcades. Il n'y a pas de restaurant. Vous pouvez réserver une table pour deux au Bon Viveur, s'il vous plaît? À treize heures?

Yannick Oui, bien sûr, je note.

Extrait 19

Élisabeth Vous n'avez pas oublié que je suis en réunion cet après-midi et demain avec Monsieur Dumas? Nous attendons des collègues de Bordeaux. J'attends la confirmation par mail. Je suis en déplacement vendredi. Quelle semaine!

Yannick Ah, et moi je suis en congé jeudi.

Élisabeth Vous pouvez répondre, s'il vous plaît, Yannick?

Yannick Allô? Oui, je suis au poste de Madame Abadie. Ah! D'accord, je descends. Monsieur et Madame Chauvet attendent en bas à la réception.

Élisabeth Déjà? Ils sont en avance, non?

Yannick Ah... non, je pense pas. Il est neuf heures quarante-cinq pile. Ils sont à l'heure.

Élisabeth Ah, bon, c'est moi qui suis en retard, alors! Et tous mes mails... Vous pouvez descendre s'il vous plaît, Yannick?

Extrait 20

Répondez aux questions.

> ***Exemple***
>
> **Vous entendez** Vous êtes en réunion demain?
>
> (Non, mercredi.)
>
> **Vous dites** Non, je suis en réunion **mercredi**.

Vous êtes en réunion demain?

(Non, mercredi.)

Vous Non, je suis en réunion mercredi.

Vous êtes en retard pour le rendez-vous?

(Non, à l'heure.)

Vous Non, je suis à l'heure.

Vous êtes en déplacement mardi?

(Non, lundi.)

Vous Non, je suis en déplacement lundi.

Vous êtes en congé demain?

(Oui, demain après-midi.)

Vous Oui, je suis en congé demain après-midi.

Extrait 21

Yannick Allô, c'est Yannick. J'ai vérifié les horaires des avions sur le Net. Il n'y a pas de vols directs.

Élisabeth Tant pis, alors. Je dois prendre le TGV. Le premier train part à quelle heure?

Yannick Vous avez le TGV à six heures vingt mais vous devez changer à Lyon.

Élisabeth Pff... On attend longtemps à Lyon? La correspondance pour Annecy est à quelle heure? Allô, Yannick, Yannick, vous entendez?

Yannick Oui, oui, j'entends très bien! Je cherche mes notes. Voyons... Vous arrivez à Lyon à sept heures trente-sept et vous avez la correspondance pour Annecy à sept heures quarante-cinq.

Élisabeth Bon, mais de Lyon à Annecy c'est direct, non?

Yannick Oui, pas de problème! Je réserve un aller-retour pour Annecy pour le 27. C'est ça?

Élisabeth Oui, Yannick, merci. Je dois aller voir des clients l'après-midi. Ils vendent leur commerce. Nous attendons toujours la confirmation de l'heure du rendez-vous.

Yannick Vous voulez partir à quelle heure le soir?

Élisabeth Je pense que je peux être libre vers dix-neuf heures. Ça dépend des clients. Il y a un train vers dix-neuf heures trente?

Yannick Sûrement. Je dois vérifier.

Élisabeth Merci, Yannick.

Extrait 22

Posez les questions en suivant les indications en anglais.

(*What time is the first train to Grenoble?*)

Vous Le premier train pour Grenoble part à quelle heure?

L'employé Il part à sept heures quarante-huit.

(*Do I have to change at Lyons?*)

Vous Je dois changer à Lyon?

L'employé Oui, arrivée sur Lyon-Part-Dieu à neuf heures dix.

(*Is there a long wait at Lyons?*)

Vous On attend longtemps à Lyon?

L'employé Non, non, quelques minutes, c'est tout.

(*What time is the connection for Grenoble?*)

Vous La correspondance pour Grenoble est à quelle heure?

L'employé Vous avez la correspondance... voyons... à neuf heures vingt.

(*Is it straight through from Lyons to Grenoble?*)

Vous De Lyon à Grenoble, c'est direct?

L'employé Oui, oui – arrivée en gare de Grenoble à dix heures quarante-cinq.

Extrait 23

Répondeur Vous êtes en communication avec le répondeur automatique de l'agence des Provinces. Le bureau est fermé en raison du pont du premier mai. Vous pouvez nous joindre mercredi 2 mai dès neuf heures. Nous rappelons à notre aimable clientèle nos heures d'ouverture habituelles: de neuf heures à douze heures et de quatorze heures trente à dix-huit heures, du lundi au vendredi. Merci, et au revoir.

Extrait 24

- Vous avez écrit pour demander mon opinion.
- J'ai rencontré des collègues à l'hôtel du Centre.
- Monsieur Dumas est resté à l'hôtel.
- Nous n'avons pas vu la salle de séminaire.
- Je ne suis jamais allé à cet hôtel.
- Mon assistante a envoyé un fax.
- Les voitures sont restées dans le parking.

Extrait 25

Yannick Vous avez fait bon voyage?

Élisabeth Oui, oui. Le train est arrivé à l'heure. Je suis allée directement à l'hôtel du Centre mais je ne suis pas restée longtemps!

Yannick Ah, oui? Pourquoi ça?

Élisabeth Leur salle de séminaire est petite, très sombre, au sous-sol, figurez-vous! Je n'ai pas du tout aimé cet hôtel.

Yannick Ah, c'est dommage! Et ensuite vous avez déjeuné en ville?

Élisabeth Non, non, j'ai mangé – et très bien mangé – à l'hôtel du Parc.

Extrait 26

Yannick Alors, c'est comment l'hôtel du Parc?

Élisabeth Grand, moderne, juste en face du parc!

Yannick Vous avez parlé au personnel?

Élisabeth Oui, j'ai rencontré le directeur. C'est un homme charmant. Nous avons déjeuné ensemble.

Yannick Ensuite, vous avez vu les salles de fonction?

Élisabeth Bien sûr. Les salles de séminaire sont excellentes, bien équipées de matériel audiovisuel.

Yannick Et vous avez visité le reste de l'hôtel?

Élisabeth Je n'ai pas vu la piscine, ni le gymnase. Autrement, j'ai tout visité: les chambres, le bar, le restaurant – ma-gni-fiques. Tout est parfait!

Yannick Si je comprends bien, vous avez choisi l'hôtel du Parc, non?

Élisabeth Tout à fait, Yannick! À propos, vous avez envoyé le programme à nos collègues de Genève?

Yannick Oui, j'ai écrit à tous les participants.

Élisabeth Merci, Yannick.

Extrait 27

Parlez dans les pauses.

(*I have written to Monsieur Chauvet.*)

Vous J'ai écrit à Monsieur Chauvet.

(*I went to the restaurant at noon.*)

Vous Je suis allée au restaurant à midi.

(*I saw Sandrine.*)

Vous J'ai vu Sandrine.

(*I met a customer in the afternoon.*)

Vous J'ai rencontré un client l'après-midi.

(*I arrived late.*)

Vous Je suis arrivée en retard.

(*I organized a meeting.*)

Vous J'ai organisé une réunion.

Extrait 28

Yannick Je travaille dans une agence immobilière près du centre-ville. Je suis l'assistant de Madame Abadie. C'est un emploi à plein temps. Je travaille tous les jours, sauf le samedi et le dimanche, bien entendu. Je fais la journée continue. J'ai donc une petite pause de quarante-cinq minutes à midi trente pour déjeuner.

Comme tous mes collègues je fais les trente-cinq heures. Du lundi au jeudi je reste au bureau jusqu'à dix-sept heures trente ou dix-huit heures, mais le vendredi, je pars tôt – à midi. C'est très agréable. Ça me permet de partir souvent en week-end, avec mes amis.

J'aime mon travail. Je rencontre beaucoup de clients. J'adore ce contact humain. Par contre, j'aime pas le courrier et les rapports. Ah oui, rédiger un rapport, ça prend beaucoup de temps et c'est pas intéressant du tout!

J'ai vingt-cinq jours de congé payé par an, ce qui représente le minimum. Eh oui, le minimum pour un emploi à plein temps en France!

Extrait 29

Catherine

Question Vous travaillez où?

Catherine À l'office de tourisme.

Question Vous travaillez à plein temps ou à temps partiel?

Catherine Je travaille à plein temps.

Question Vous avez combien de jours de congé payé par an?

Catherine Nous avons trente-six jours par an. Nous faisons les trente-cinq heures, hein, depuis plus d'un an maintenant.

Patrick

Question Vous travaillez où?

Patrick Je travaille dans une radio locale de Radio France.

Question Vous travaillez à plein temps ou à temps partiel?

Patrick Non, je travaille à plein temps.

Question Vous avez combien de jours de congé payé par an?

Patrick Oh, j'ai vingt-neuf jours de congé payé par an. Comme je suis cadre, je travaille quelquefois de huit heures du matin à dix heures du soir, mais j'ai droit à des jours de récupération.

Maryse

Question Vous travaillez où?

Maryse Je travaille à mon domicile.

Question Vous travaillez à plein temps ou à temps partiel?

Maryse Je travaille à temps partiel.

Question Vous avez combien de jours de congé payé par an?

Maryse Quand je ne travaille pas, je ne suis pas payée.

Extrait 30

Répondez selon vos expériences personnelles.

- Vous écrivez des lettres à vos amis?
- Vous envoyez des mails à vos amis?
- Vous adressez des cartes postales à vos collègues de travail?
- Vous envoyez des fax à vos amis?
- Vous téléphonez à vos amis?
- Vous envoyez des textos à votre famille?

Extrait 31

Patrick

Question Qu'est-ce que vous avez fait au travail aujourd'hui?

Patrick Ah aujourd'hui, j'ai établi des plannings pour organiser la, la production de la semaine prochaine. J'ai eu une réunion avec mes collaborateurs. J'ai envoyé pas mal de courriers électroniques. J'ai écrit deux lettres.

Question Vous êtes allé à la cantine à midi?

Patrick Nous n'avons pas de cantine.

Pascal

Question Qu'est-ce que vous avez fait au travail aujourd'hui?

Pascal Je suis en vacances. J'ai fait la grasse matinée. Je n'ai pas écrit de lettres. J'ai fait de l'ordinateur. J'ai consulté ma banque par Internet.

Francis

Question Vous êtes allé à la cantine à midi?

Francis Oui, c'est une facilité importante car nous faisons la journée continue et il y a quarante-cinq minutes pour manger.

Extrait 32

Roger Bonjour, Élisabeth.

Élisabeth Bonjour, Roger. Je voudrais vous voir, s'il vous plaît, à propos du stage de formation.

Roger Vous pouvez attendre un petit moment, je prends mon agenda. Vous préférez quel jour?

Élisabeth Je suis en déplacement demain et mercredi après quatorze heures, mais je suis libre mercredi matin. Ça vous convient?

Roger Je suis désolé, mais mercredi je dois aller voir des clients espagnols. Je n'ai pas de rendez-vous jeudi.

Élisabeth Je regrette, mais je suis en congé jeudi. Vous êtes là vendredi?

Roger Vendredi matin je suis en réunion, mais je peux être libre à treize heures trente.

Élisabeth Pardon Roger, vous avez dit treize heures ou seize heures? Je dois absolument être de retour au bureau à quinze heures trente. J'attends des collègues de Marseille.

Roger Treize heures trente ou quatorze heures, comme vous préférez.

Élisabeth Vendredi, quatorze heures, c'est parfait.

Roger D'accord, je note. À vendredi, alors.

Élisabeth Oui, au revoir et merci.

UNIT 6

Extrait 33

C'est un appartement confortable, qui a une surface habitable de 80 mètres carrés. Il se situe dans un quartier historique, qui est propre et tranquille. Il est au premier étage d'un hôtel particulier, qu'on vient de restaurer. C'est un appartement qui a deux chambres, une salle de séjour et une cuisine équipée que le propriétaire a entièrement rénovée.

Extrait 34

Parlez dans les pauses.

L'agent Allô, Immobilier du Palais.

(*Greet him and say you're looking for a flat in Avignon.*)

Vous Bonjour monsieur. Je cherche un appartement à Avignon.

L'agent À louer ou à acheter?

(*Say to rent.*)

Vous À louer.

L'agent Vous recherchez un appartement de combien de pièces?

(*Say you'd like two bedrooms, a large living-room and a fitted kitchen.*)

Vous Euh, je voudrais deux chambres, un grand séjour et une cuisine équipée.

L'agent Et vous avez un budget maximum pour le loyer?

(*Say your maximum budget is €700, including charges.*)

Vous Mon budget maximum, c'est 700 euros, charges comprises.

L'agent Et vous voulez absolument un appartement au centre-ville?

(*Say yes, because you have a friend who lives in the quartier de la Balance.*)

Vous Oui, parce que j'ai un ami qui habite dans le quartier de la Balance.

L'agent Vous recherchez quel genre d'appartement?

(*Say a flat with character.*)

Vous Un appartement qui a du caractère.

Extrait 35

Monsieur Beaufoy Allô, oui?

Christine Monsieur Beaufoy?

Monsieur Beaufoy C'est moi-même.

Christine Ah, bonjour monsieur. Vous avez bien un appartement à louer, près du centre d'Avignon?

Monsieur Beaufoy Oui madame, c'est un très bel appartement T2 qui se trouve quartier de la Balance. Il est au deuxième étage d'un ancien hôtel particulier qu'on a restauré et aménagé, et il y a un ascenseur.

Christine Est-ce qu'il y a un parking privé?

Monsieur Beaufoy Oui madame. Il y a un garage en sous-sol.

Christine Très bien. Alors je voudrais bien visiter l'appartement. Où est-ce qu'il se situe exactement?

Monsieur Beaufoy Il est rue de Limas au 369 bis.

Christine À quelle heure est-ce que je peux passer le visiter? Euh… cet après-midi, peut-être?

Monsieur Beaufoy Ben, aujourd'hui je suis très pris. Attendez, je regarde mon agenda. Ah, non, cet après-midi j'ai un autre rendez-vous. Mais demain, par contre, c'est samedi. Je ne travaille pas. Donc on pourrait prendre rendez-vous pour demain matin. Disons vers neuf heures.

Christine D'accord. Ça me convient parfaitement. Alors, à demain.

Extrait 36

Parlez dans les pauses.

L'agent immobilier Allô, ici Monsieur Poulain de l'Immobilier du Palais. Est-ce que je pourrais parler à Madame Dumas?

(*Say you're sorry, Madame Dumas is not there. Ask if you can take a message.*)

Vous Je regrette, Madame Dumas n'est pas là. Est-ce que je peux prendre un message?

L'agent immobilier Je voudrais fixer un rendez-vous avec elle, pour visiter un appartement.

(*Say fine and ask when.*)

Vous Très bien. À quelle heure?

L'agent immobilier Ce soir, si c'est possible, vers dix-neuf heures.

(*Say it's not possible. She can't make it at 7 o'clock. She has another appointment.*)

Vous Ah, c'est impossible. Elle ne peut pas, à dix-neuf heures. Elle a un autre rendez-vous.

L'agent immobilier Demain alors?

(*Say that tomorrow is possible. She's working in the morning, but free in the afternoon.*)

Vous Demain, c'est possible. Elle travaille le matin, mais elle est libre l'après-midi.

L'agent immobilier D'accord. Disons quatorze heures alors?

(*Say perfect, you'll note that down. Ask for the address of the flat.*)

Vous Parfait. Je vais noter ça. Quelle est l'adresse de l'appartement?

Extrait 37

Christine Il est vraiment splendide, cet appartement. Est-ce qu'il y a un parking pour les locataires sous l'immeuble?

L'agent immobilier Non. Il n'y a pas de parking sous l'immeuble, mais il y a des places de parking derrière le bâtiment.

Christine Et les transports publics?

L'agent immobilier L'arrêt de bus est juste devant l'immeuble, à côté de la librairie.

Christine Et vous connaissez les voisins?

L'agent immobilier Oui. Au-dessus de cet appartement, il y a un couple d'enseignants.

Christine Et au-dessous?

L'agent immobilier Au-dessous de cet appartement… euh, je pense que c'est vide pour l'instant.

Christine Et il y a une terrasse sur le toit?

L'agent immobilier Oui, une grande terrasse et vous avez également une antenne parabolique sur le toit.

Extrait 38

Écoutez et répétez:

vous
tout
sur
pour
cure

nu
du
jour
pouce
loup

Extrait 39

Juliette Et voilà, bienvenue dans mon nouveau palace! Vous voulez visiter?

Christine Avec plaisir! Oh, que c'est mignon!

Juliette Merci. Alors voilà, quand on entre dans ma maison, les toilettes sont tout de suite à gauche, à côté de la salle de bains, la cuisine est en face de la porte d'entrée, entre ma chambre et la salle à manger. J'ai deux chambres: ma chambre et la chambre d'amis. Venez par là, je vais vous montrer. Tout de suite à droite, c'est la chambre d'amis.

Christine Oh, que c'est joli! Dis donc, elle est vraiment toute carrée cette petite chambre!

Juliette Oui, le plafond est un peu bas mais enfin...

Christine C'est assez lumineux, quand même...

Juliette On continue la visite? Cette chambre-là, en face de la chambre d'amis, tu vois, elle est rectangulaire!

Christine Tu dors là, alors?

Juliette Eh oui, c'est ma chambre.

Christine Hmmm, ça sent bon – ça vient de la cuisine?

Juliette Oui, je vais vous servir un bon petit repas pour l'occasion.

Christine Oh, que c'est gentil! Euh, et là, à droite, le long couloir, ça donne sur la salle à manger?

Juliette Oui, au bout du couloir, tout droit, il y a la salle à manger et le salon; c'est une pièce en L.

Christine Que c'est spacieux! Le salon est assez large, la salle à manger plutôt longue... c'est parfait pour pendre la crémaillère entre amis!

Extrait 40

Pascale Bienvenue dans mon nouvel appartement! Tu veux visiter?

(*Say you'd love to. Shall we start on the right or the left?*)

Vous Avec plaisir. On commence à droite ou à gauche?

Pascale On commence à droite. Là, c'est la chambre d'amis.

(*Say how lovely it is.*)

Vous Oh, que c'est mignon!

Pascale Merci, et c'est pratique parce que c'est aussi mon bureau.

(*Ask what's next to the spare room.*)

Vous Et à côté de la chambre d'amis, qu'est-ce qu'il y a?

Pascale C'est ma chambre.

(*Ask, 'Do you sleep here?' Say how nice and how spacious it is.*)

Vous Tu dors ici? Que c'est joli! Que c'est spacieux!

(*Ask what is opposite the bedroom. Is it the bathroom?*)

Vous Et en face de la chambre? C'est la salle de bains?

Pascale Non, là, en face de la chambre, c'est la cuisine.

(*Say what a nice smell. Ask what it is.*)

Vous Hmmm, ça sent bon! Qu'est-ce que c'est?

Pascale C'est un gâteau que j'ai préparé pour l'occasion.

(*Say that's really kind.*)

Vous Que c'est gentil!

(*Ask where the dining-room is. At the end of the corridor?*)

Vous Et où se trouve la salle à manger? Au bout du couloir?

Extrait 41

Christine Dis donc, où est-ce que tu as trouvé tous ces jolis meubles?

Juliette Eh bien, la semaine dernière, je suis allée à Avignon, dans le quartier des brocanteurs, j'ai trouvé ces chaises en bois, le petit tabouret qui est dans la cuisine, le vieux fauteuil qui est dans ma chambre...

Christine Tu as acheté tous tes meubles dans le même magasin?

Juliette Pas du tout! D'abord j'ai regardé les vitrines...

Christine Que c'est agréable le lèche-vitrines, moi j'adore!

Juliette ... je suis entrée dans tous les magasins de brocante que j'ai vus, un par un! Ensuite, j'ai fait mon choix, et finalement, au bout de la rue, j'ai trouvé le magasin d'antiquités idéal. Un magasin immense de deux étages!

Christine Deux étages!

Juliette Quand je suis entrée dans ce magasin, tout de suite j'ai repéré la table ronde qui est dans la salle à manger. Je suis restée quelques minutes au rez-de-chaussée du magasin, puis je suis montée au premier étage pour voir les lits et les armoires. J'ai vu deux lits: un lit haut et ce lit bas qui est maintenant dans ma chambre. Au départ, j'ai hésité un peu entre les deux...

Christine Tu as demandé conseil?

Juliette Oui, je suis descendue au rez-de-chaussée pour discuter avec le vendeur...

Christine Et il a conseillé le plus cher, bien sûr!

Juliette Non. C'est un antiquaire – il a parlé de la qualité des bois, des styles, etc. Finalement, je suis retournée au premier étage et j'ai décidé d'acheter le lit bas. Je suis sortie du magasin trois heures plus tard, plutôt contente.

Christine Cet antiquaire a fait une bonne affaire avec toi!

Extrait 42

Valérie En fait, je ne vous ai pas encore raconté comment j'ai trouvé mon appartement. Quelle galère!

(*Ask if she looked at all the adverts.*)

Vous Tu as regardé toutes les petites annonces?

Valérie Oui, pour commencer. Après, il y a eu les agences immobilières...

(*Ask if she went into all the estate agencies.*)

Vous Tu es entrée dans toutes les agences immobilières?

Valérie Exactement! Quelle patience il faut! Finalement j'ai trouvé quelque chose...

(*So you visited this apartment, you hesitated slightly...*)

Vous Donc, tu as visité cet appartement, tu as hésité un peu...

(*... then you went back to the estate agency and finally you made a decision.*)

Vous ... puis, tu es retournée à l'agence immobilière et finalement tu as pris une décision!

Valérie Exactement! Décidément, on ne peut rien te cacher!

Extrait 43

La cliente Alors, dans... euh... donc un P3 – séjour et deux chambres – euh, qu'est-ce que vous pouvez me proposer?

L'agent immobilier Actuellement, dans le centre de Châteauneuf-du-Pape, nous avons un P3 qui comprend donc un séjour, deux chambres, qui se trouve dans le cœur du village, au premier étage. Cet appartement a un double avantage puisqu'il est traversant, c'est-à-dire qu'il a une double exposition. Certaines pièces donnent côté est, d'autres pièces donnent côté ouest. Il a donc… il bénéficie donc d'un ensoleillement matin et soir. Sa superficie a… est environ de 80 mètres carrés. Il se compose d'un hall d'entrée, qui dessert un séjour, qui donne sur une cuisine à l'américaine, c'est-à-dire séparant, séparant le séjour de la cuisine par un snack.

Extrait 44

Question Grenoble, c'est comment?

Corinne C'est une ville que mon mari aime, mais que je n'aime pas du tout.

Question Vous habitez dans un quartier agréable?

Corinne C'est très agréable, mais c'est un quartier qui est un peu loin du centre.

Question Qu'est-ce que vous avez fait ce matin?

Corinne Ce matin j'ai dormi! J'ai fait la grasse matinée.

Question Qu'est-ce que vous avez fait cet après-midi?

Corinne Je suis partie en balade en voiture.

Question Qu'est-ce que vous avez fait hier soir?

Corinne Hier soir, je suis sortie avec des amis.

Extrait 45

Question Vous habitez dans une maison. Décrivez-moi cette maison.

Agnès C'est une maison avec un étage. Nous avons au rez-de-chaussée une salle de séjour et une cuisine, et au premier étage, trois chambres ainsi qu'un bureau et une salle de bains.

Question C'est une grande maison?

Agnès C'est une grande maison.

Question Et, euh, cette maison est à vous?

Agnès Non, nous sommes en location.

Question Vous payez cher?

Agnès C'est un gros budget, oui.

Question Vous habitez dans quel quartier?

Agnès Nous habitons dans le quartier du Coudoulet.

Question C'est un bon quartier?

Agnès C'est un bon quartier.

Question Pourquoi?

Agnès C'est un bon quartier car les gens sont sympathiques et il, euh, est très calme.

Question Vous avez habité dans une autre région de France?

Agnès Nous avons habité en Bourgogne pendant dix ans.

Extrait 46

Pierre et Agnès expliquent une recette.

Pierre Pour les pâtes à l'ail il faut de l'ail, de l'huile, des pâtes et du piment. Vous faites cuire les pâtes normalement. Pendant que les pâtes cuisent, vous coupez l'ail en petits morceaux et vous le faites revenir dans l'huile d'olive. Une fois que les pâtes sont cuites, vous faites revenir les pâtes dans l'huile d'olive avec l'ail en ajoutant un peu de piment. C'est prêt en trois minutes.

Agnès Donc vous prenez un yaourt, que vous mettez dans un saladier, et vous conservez le pot de yaourt comme mesure. Vous mettez ensuite trois mesures de farine, puis trois mesures de sucre en poudre, que vous mélangez. Il faut ensuite ajouter un sachet de levure, puis vous mettez une mesure d'huile et ensuite vous pouvez rajouter trois œufs. Vous mélangez le tout et vous mettez à cuire dans un four chaud pendant trente minutes.

Extrait 47

Écoutez la recette de la tarte Tatin.

Claudine Tu achètes une pâte feuilletée. Ensuite tu prends un moule à tarte, tu verses de l'huile d'olive, et tu étales cette huile dans le moule. Ensuite tu prends des tomates, tu les coupes en tranches, tu mets tes tomates sur le fond du moule. Tu prends des oignons, tu fais la même chose avec des oignons que tu coupes sur les tomates. Ensuite tu mets du sel, du poivre et tu prends la pâte à tarte et tu recouvres ton plat avec. Tu enfournes, et tu laisses cuire trente minutes. Les tomates, les oignons sont fondus, ta pâte est dorée et tu as une Tatin de tomates que tu retournes sur un plat.

Extrait 48

Juliette explique à Christine comment mettre la table.

Juliette Tiens Christine, sois gentille, mets le couvert, s'il te plaît.

Christine Oui, bien sûr. On le met pour combien de personnes?

Juliette Nous sommes huit en tout.

Christine Ton vase sur la table, je l'enlève?

Juliette Oui, tu l'enlèves et tu le poses sur la petite table du salon, s'il te plaît.

Christine Tu as une nappe?

Juliette Oui, alors tu prends la grande nappe à carreaux. Tu vas la trouver dans le premier tiroir du buffet. Et dans le deuxième tiroir, sous le premier donc, il y a des couverts en argent et des serviettes assorties à la nappe.

Christine Et les assiettes, je les prends où?

Juliette Dans la cuisine, ici, je les ai sorties. Dans le buffet il y a aussi des petits bols pour les olives. Tu peux les poser sur la table?

Christine Tu préfères la serviette dans l'assiette ou à côté?

Juliette Moi, je la mets à gauche de l'assiette, sous la fourchette, mais mets-la où tu veux. Et sors aussi les verres à vin qui sont dans le petit placard. C'est ma mère qui les a achetés.

Christine Qu'ils sont beaux! Comment je les place?

Juliette Le verre à vin blanc, tu le places à droite du verre à vin rouge.

Christine Puisqu'on fait les choses dans les règles, la cuillère à soupe, je la mets à droite ou à gauche?

Juliette À droite, à côté du couteau.

Christine Voilà, le couvert est mis.

Juliette Alors, à table tout le monde! Venez manger, c'est prêt!

Extrait 49

Répondez aux questions.

Tu aimes mon poulet aux amandes?

(*Say you love it!*)

Vous Je l'adore!

Où est-ce qu'elle met le vase, d'habitude?

(*Say she puts it on the small table in the living-room.*)

Vous Elle le met sur la petite table du salon.

Où est-ce que tu achètes tes tomates? Elles sont belles!

(*Say you buy them at the market.*)

Vous Je les achète au marché.

Ils sont bons, les desserts, dans ce restaurant?

(*Say you don't like them very much.*)

Vous Je ne les aime pas beaucoup.

Tu manges généralement la salade avant l'omelette, avec, ou après?

(*Say you eat it with the omelette.*)

Vous Je la mange avec l'omelette.

Extrait 50

Francis explique à une amie comment trouver un site sur Internet.

L'amie Qu'est-ce qu'il faut faire pour trouver un site sur l'Internet?

Francis Eh bien, tout d'abord, il faut se connecter à Internet...

L'amie Oui...

Francis ... il faut cliquer deux fois sur l'icône.

L'amie D'accord, montre-moi.

Francis Voilà... Là on est sur Explorer Internet.

L'amie D'accord, alors, si je cherche des sites sur la Provence, qu'est-ce qu'il faut faire?

Francis Il faut écrire dans ce cadre 'Provence', tout simplement.

L'amie D'accord, alors écris-le. Il faut cliquer sur 'OK'?

Francis Et on attend la réponse... Il y a 855 réponses sur 'Provence'.

L'amie Oh, c'est beaucoup ça.

Francis Oui. Alors, pour avoir moins de réponses, il faut faire une recherche plus sélective. Il faut choisir deux mots-clés par exemple et les inscrire dans la boîte.

L'amie D'accord, alors je choisis 'Provence' et 'Ventoux'...

Francis Oui.

L'amie ... et je les tape dans la boîte.

Francis On les tape dans la boîte.

L'amie D'accord.

Francis Il faut attendre un peu, et nous avons maintenant six réponses.

L'amie Seulement?

Francis Six réponses, seulement. Il y a une réponse avec 'Avignon, office du tourisme'...

L'amie Oui...

Francis ... 'La Cave Saint-Marc, producteur de vins'...

L'amie Ah bon!

Francis ... qui doit se trouver auprès du Ventoux. 'Hébergement des vacances en Provence, au pied du Mont Ventoux', 'Provence Immobilier', 'Destination Vaucluse Provence'...

Extrait 51

Écoutez les explications.

Brice Alors, pour arriver à votre hôtel, c'est facile. Regardez le plan: vous sortez d'ici et vous allez à droite. Vous descendez la rue du Limas. Au troisième carrefour, vous prenez la rue Saint-Etienne, sur votre gauche. Continuez tout droit le long de la rue Saint-Etienne, puis prenez à droite la rue Racine. Ensuite, il faut prendre à gauche la rue Molière et tourner à droite quand vous arrivez sur la place de l'Horloge. Vous devez passer devant l'Opéra et ensuite devant l'hôtel de ville. Et maintenant il faut traverser la place de l'Horloge. Votre hôtel est juste en face, à l'angle de la rue des Marchands. Vous ne pouvez pas le rater!

Extrait 52

La touriste Pardon, madame, je cherche le syndicat d'initiative?

La passante C'est très simple, c'est toujours tout droit. Vous... vous allez... vous traversez la rue, passez les remparts, c'est à cinq minutes à pied.

La touriste Euh, sur la gauche ou sur la droite?

La passante Sur la droite, tout de suite après le petit jardin.

La touriste Merci.

La passante Je vous en prie.

La touriste Vous fermez, là?

L'employée Eh oui, c'est dix-huit heures, nous fermons à dix-huit heures, mais, euh... Allez au pont..., au..., nous avons une annexe au pont Saint-Bénezet...

La touriste Je passe par où?

L'employée Il faut remonter la rue de la République, traverser la place de l'Horloge et ensuite, c'est indiqué 'le pont Saint-Bénezet', vous suivez les indications 'pont Saint-Bénezet'. Le… l'annexe est ouverte jusqu'à dix-neuf heures.

La touriste Merci.

L'employée Je vous en prie.

Extrait 53

Parlez dans les pauses.

Excusez-moi, le palais des Papes, c'est loin?

(*Tell him to go up rue de la République – it's five minutes' walk.*)

Vous Remontez la rue de la République, c'est à cinq minutes à pied.

Je voudrais aller à la cathédrale Notre-Dame.

(*Tell her she needs to cross the bridge.*)

Vous Vous devez traverser le pont.

Pour aller à la poste, s'il vous plaît?

(*Tell him you have to go down the cours Saint-Charles.*)

Vous Il faut descendre le cours Saint-Charles.

Pour aller à l'hôpital?

(*Tell her to take the second street on the right and turn left at the traffic lights.*)

Vous Prenez la deuxième rue à droite et tournez à gauche aux feux.

Extrait 54

Écoutez les explications.

Christine Excusez-moi, nous sommes un peu perdu(e)s… Nous cherchons l'hôtel Jean-Vilar.

Le passant L'hôtel Jean-Vilar? C'est où, ça, déjà?

Christine Pas loin de la place de l'Horloge, à l'angle de la rue des Marchands.

Le passant Oh là là! Vous n'avez pas pris du tout la bonne direction. Montrez-moi votre plan. Vous êtes parti(e)s d'où?

Christine Euh… nous sommes parti(e)s de la rue du Limas.

Le passant Eh bien, vous êtes descendu(e)s trop bas. Vous êtes passé(e)s par où?

Christine D'abord nous avons pris la rue Saint-Etienne, et après, nous avons tourné à droite…

Le passant Alors, si vous avez pris la première à droite, vous avez fait erreur, parce que vous êtes maintenant dans la rue Joseph-Vernet. Presqu'au bout!

Christine Ah là là là là là là! Nous avons fait des kilomètres pour rien! Alors, qu'est-ce que nous devons faire maintenant?

Le passant Allez jusqu'au bout de Joseph-Vernet, puis tournez à gauche et prenez la grande avenue – enfin, ça s'appelle la rue de la République – et remontez-la. Passez les feux, et quand vous êtes arrivé(e)s à la place de l'Horloge, eh bien, sur votre droite, vous prenez la rue des Marchands. Vous ne pouvez pas la rater!

Christine Merci beaucoup.

Extrait 55

Parlez dans les pauses.

(*Stop a passer-by and say you're a bit lost.*)

Vous Excusez-moi, nous sommes un peu perdu(e)s…

(*Say you're looking for the Opera.*)

Vous Nous cherchons l'Opéra.

Le passant Vous êtes descendu(e)s trop bas!

(*Say you took the main avenue and then turned right.*)

Vous Nous avons pris la grande avenue et puis, nous avons tourné à droite.

Le passant Vous êtes parti(e)s d'où?

(*Say that you started at the rue des Marchands.*)

Vous Nous sommes parti(e)s de la rue des Marchands.

Le passant Dans ce cas, vous n'avez pas pris la bonne route!

(*Ask where you have got to then.*)

Vous Alors, nous sommes arrivé(e)s où?

(*Ask what the name of this street is.*)

Vous Quel est le nom de cette rue?

Le passant C'est le boulevard Raspail.

(*Say we've walked miles for nothing!*)

Vous Nous avons fait des kilomètres pour rien!

Extrait 56

Écoutez cette anecdote.

Question Pourriez-vous me raconter en quelques mots une petite histoire amusante qui vous est arrivée?

Philippe Oui. Nous avons passé la soirée chez des amis il y a quelques mois à Marseille et nous sommes rentrés vers quatre heures du matin à la maison. Nous sommes arrivés en bas de l'immeuble: pas de clés. Heureusement, un voisin à la fenêtre a ouvert la porte de l'immeuble pour nous. Nous sommes montés au cinquième étage. Nous avons frappé à la porte de notre appartement, mais ma fille – qui habite encore chez nous – n'a rien entendu. Nous avons frappé de plus en plus fort. Impossible de la réveiller. Nous avons téléphoné sur le portable, mais nous n'avons pas eu de réponse. Les voisins ont commencé un peu à râler car c'était cinq heures du matin. Alors, finalement, nous avons dormi sur le palier jusqu'à huit heures du matin. Et à ce moment-là, ma fille a enfin ouvert la porte.

Extrait 57

Question Vous pouvez me donner une recette très simple?

Catherine La plus simple, c'est l'omelette aux truffes... [D'accord.] ... sans hésitation. Tout d'abord, il faut acheter une belle truffe – à Carpentras, notamment, le vendredi matin, en gén... en règle générale. Les truffes, on les trouve sur le marché du mois de novembre au mois de février, pas après. Ensuite, il faut, bien sûr, six œufs, de l'huile d'olive, et du sel et du poivre. Alors, vous cassez vos œufs, vous mettez un peu d'huile d'olive dans votre poêle, vous battez bien, vous râpez les truffes avec une râpe, et selon si vous l'aimez baveuse, eh bien, il faut pas trop la faire cuire.

Extrait 58

L'amie Qu'est-ce qu'il faut faire pour envoyer un mail avec ton ordinateur?

Francis Il faut inscrire l'adresse du destinataire en haut, dans la case qui est prévue à cet effet, la case blanche.

L'amie D'accord, et dans la bande blanche en-dessous, qu'est-ce qu'il faut écrire?

Francis La bande blanche en-dessous, c'est pour une copie carbone, c'est donc la copie de, du mail que l'on peut envoyer à une autre personne.

L'amie D'accord. Et qu'est-ce qu'il faut écrire dans la troisième bande?

Francis Il faut écrire l'objet du mail.

L'amie D'accord. Si c'est un mail très important, qu'est-ce qu'il faut faire?

Francis Il faut mettre un signe spécialisé, c'est-à-dire un point d'exclamation rouge qui signifie que ce mail est urgent.

Acknowledgements

Grateful acknowledgement is made to the following sources for permission to reproduce material in this book:

Cover: copyright © Hélène Mulphin.

Page 1: copyright © Hélène Mulphin; pages 5, 13: copyright © Neil Broadbent; page 38: courtesy of Annecy Tourism Office; page 54: Salvador Dali, *Persistence of Memory*, 1931, copyright © Salvador Dali, Gala-Salvador Dali Foundation, DACS, London 2004; pages 73, 85, 106, 108–110: copyright © Hélène Mulphin; page 105: copyright © Valérie Demouy.

Every effort has been made to trace all the copyright owners, but if any has been inadvertently overlooked, the publishers will be pleased to make the necessary arrangements at the first opportunity.